La 6ème

LA PIRE ANNÉE DE MA VIE !

James Patterson
et CHRIS TEBBETTS

La 6ème

LA PIRE ANNÉE DE MA VIE !

Traduit de l'anglais (États-Unis)
par Aude Lemoine

hachette

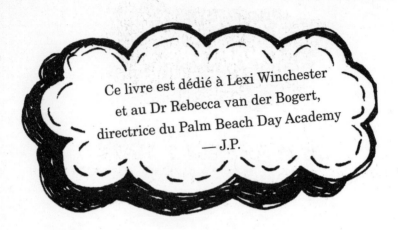

Ce livre est dédié à Lexi Winchester
et au Dr Rebecca van der Bogert,
directrice du Palm Beach Day Academy
— J.P.

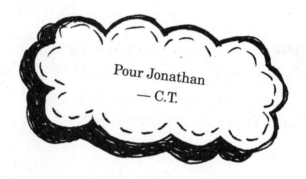

Pour Jonathan
— C.T.

Illustrations intérieures et de couverture : Laura Park

Traduit de l'anglais (États-Unis) par Aude Lemoine

L'édition originale de cet ouvrage a paru en langue anglaise
chez Little, Brown and Company, a division of Hachette Boon Group, Inc.,
sous le titre :

MIDDLE SCHOOL: THE WORST YEARS OF MY LIFE
This edition published by arrangement with Little, Brown and Company, New-York,
New-York USA. All rights reserved.

© 2012 by James Patterson
© Hachette Livre, 2012, pour la traduction française.
Hachette Livre, 43 quai de Grenelle, 75015 Paris.

CHAPiTRE 1

JE M'APPELLE RAFE KHATCHADORIAN ET JE SUIS UN HÉROS TRAGIQUE

Cette nullissime journée semble tout à fait appropriée pour entamer le récit de mes malheurs où ma sœur Georgia la peste, Leonardo Sans Paroles et moi-même apparaissons assis, serrés comme des sardines, à l'arrière d'une voiture de police de Hills Village. Pas le genre de tableau de famille dont on a envie de faire partie, croyez-moi.

Mais je reviendrai sur l'épisode de la patrouille de police plus tard. Je dois d'abord rassembler le courage de vous raconter cette histoire pathétique.

Bon, bref : *tadaaa !* La voici, amis bibliophiles et vous autres qui cherchez à relever votre moyenne avec des notes de lecture, mon autobiographie, intégrale et cent pour cent fidèle jusqu'ici. Les années collège tant redoutées. Si vous êtes déjà passés par là, vous savez déjà de quoi je parle. Sinon… vous comprendrez bien assez vite.

Et par là, j'entends vraiment me comprendre moi et ma vie de cinglé, ce qui n'est pas aussi facile qu'on pourrait le penser. D'où la difficulté pour moi de trouver des gens en qui je peux avoir confiance. La vérité, c'est que je ne sais pas à qui me fier. Donc, pour résumer, je ne fais confiance à personne. Hormis à ma mère, Julia. (La plupart du temps, en tout cas.)

Alors… commençons par voir si je peux avoir confiance en vous. D'abord, un peu d'histoire.

À propos, c'est moi là, qui arrive en prison – également connue sous le nom de collège de Hills Village – dans la voiture de Julia. Le crédit photo revient à Leonardo Sans Paroles.

Enfin, pour revenir à nos moutons, il y a quand même une autre personne à laquelle je fais confiance. Et c'est justement Leonardo.

Leo est complètement frappé avec un grand F, voire déjanté avec un grand D. Pourtant, il garde un certain sens de la réalité.

Parmi les gens en qui j'ai zéro confiance, il y a :

Mlle Ruthless Donatello : appelez-la la Femme Dragon. Elle donne des cours d'anglais et gère aussi ma matière préférée de l'année : les heures de colle.

Il y a également Mme Ida Stricker, la sous-directrice. En résumé, Ida a le contrôle sur tout ce qui bouge au collège, même les mouches.

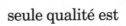

Ça, c'est Georgia, ma super fouineuse-cafteuse-morveuse de sœur dont la seule qualité est qu'elle ressemble à Julia au même âge.

Il reste des personnes sur ma liste mais j'y reviendrai plus tard.

À moins que non, finalement. Je ne suis pas certain de la façon de procéder. Comme vous l'aurez probablement deviné, c'est mon premier livre. Mais reprenons où nous en étions. J'aimerais bien pouvoir vous faire confiance mais comment savoir si vous avouer tous les trucs perso hyper méga embarrassants qui me sont arrivés, du genre la virée cata en patrouille de police, est une bonne idée ? Vous êtes comment, en vérité ?

Vous entrez dans la catégorie des gentils ? Dixit qui ? Vous ? Vos parents ? Vos frères et sœurs ?

Soit, dans la perspective qu'on devienne amis, vous et moi – et là, ce n'est pas rien ce que je m'apprête à faire –, voici un autre aveu.

En vrai, c'est à cela que je ressemblais le jour où je suis arrivé au collège, le jour de mon entrée en sixième.

Vous êtes toujours là ou bien vous êtes partis ?

Hé, ne partez pas, OK ?

Je vous aime bien, je crois.

Sérieusement. Au moins, je constate que vous savez écouter. Et je vous assure qu'avec mon histoire, vous ne serez pas déçus.

CHAPiTRe 2

COLLÈGE DE QUARTIER/ PÉNITENCIER HAUTE SÉCURITÉ

Alors, imaginez le jour de la naissance de votre arrière-arrière-grand-mère. Ça y est ? Maintenant, remontez encore cent ans en arrière. Et encore cent ans de plus. Ainsi, vous aurez une idée de l'époque à laquelle ils ont construit le collège de Hills Village. Personnellement, je suis d'avis qu'à l'origine, il s'agissait d'une prison pour les Pères pèlerins et que très peu de choses ont changé depuis. De nos jours, c'est devenu une prison pour élèves de la sixième à la troisième.

J'ai vu assez de films pour savoir que lorsque
vous débarquez en prison, vous avez le choix,
généralement, entre deux options : 1) tabasser
un mec pour que tout le monde vous prenne pour
un fou et vous évite ou 2) garder la tête baissée,
essayer de vous fondre dans la masse et ne pas
vous retrouver dans le collimateur de quelqu'un.

Vous savez maintenant à quoi je ressemble, donc
je vous laisse deviner quelle tactique j'ai choisie.
Dès la première heure de cours, j'ai filé tout droit
au dernier rang pour m'asseoir aussi loin que
possible du bureau du prof.

Le seul problème avec ce plan s'appelle Miller.
Miller le Tueur pour être plus précis. Impossible
que ce mec vous ait à la bonne : il l'a toujours
mauvaise avec tout le monde.

Seulement, je l'ignorais encore, à ce moment-là.

— Alors comme ça, on s'assoit au fond ?

— Ouais, lui ai-je répondu.

— Tu cherches les ennuis ou quoi ?

— Je n'en sais rien. Pas vraiment, ai-je dit avec
un haussement d'épaules.

— C'est le coin des délinquants ici. (Il s'est
approché d'un pas.) D'ailleurs, tu es à ma place.

— Je ne vois ton nom écrit nulle part.
Là, je me suis dit que ce n'était peut-être pas
le truc à répondre lorsque Miller m'a
agrippé par le cou avec une de ses
paluches XXXL pour me soulever
comme si j'étais un haltère de
cinquante kilos.

En général, je préfère garder la tête attachée au reste de mon corps, alors je me suis levé pour lui faire plaisir.

— Essayons encore, a-t-il dit. C'est ma place. T'as compris ?

J'avais parfaitement compris, oui. J'étais en sixième depuis quatre minutes et demie et j'avais déjà une étiquette orange fluo en forme de cible en travers du dos. La mission « se fondre dans la masse » a officiellement échoué.

Pourtant, faut pas croire : je ne suis pas une mauviette. Laissez-moi quelques chapitres et je vous montrerai ce dont je suis capable. Entre-temps, en revanche, j'ai décidé d'aller m'installer dans un autre coin de la salle de cours. Où ma vie ne serait pas en danger.

Mais là, alors que je m'apprêtais à me rasseoir, Miller m'a lancé :

— Han-han. Celui-là aussi, c'est mon siège.

Vous voyez le genre ?

Au moment où notre prof principal, M. Rourke, est entré, j'étais en train d'imaginer à quoi pourraient ressembler les neuf prochains mois si je restais debout.

Rourke a jeté un coup d'œil par-dessus ses lunettes.

— Excusez-moi, M. Khatch… Khatch-a… Khatch-a-dor…

— Khatchadorian, ai-je terminé à sa place.

— *Gesundheit !* Santé ! s'est écrié quelqu'un et toute la classe a éclaté de rire.

— Silence ! a vociféré le prof en consultant sa liste d'élèves. Et comment ça va aujourd'hui, Rafe ?

Il souriait, tel un chien qui sait qu'il va recevoir un os.

— Bien, merci.

— Nos chaises ne sont pas assez confortables à votre goût ?

— Pas exactement, ai-je résumé car je me voyais mal entrer dans les détails.

À présent, ouvrez vos livres à la page 80 et…

SILENCE !!

LA BARBE

— Alors, asseyez-vous ! Et que ça saute !

Au contraire de Miller le Tueur, M. Rourke pouvait visiblement vous avoir à la bonne ou à la mauvaise et pour ma part, j'avais déjà expérimenté les deux.

Étant donné que personne d'autre n'était assez stupide pour s'asseoir juste devant Miller, le seul siège libre était précisément celui-là.

Et parce que je suis le dernier des crétins, je n'ai pas regardé derrière moi avant de m'asseoir. Ce qui explique que je me sois retrouvé les fesses par terre.

La bonne nouvelle ? Vu la façon dont l'année avait démarré, j'en ai conclu que les choses ne pourraient que s'améliorer.

La mauvaise nouvelle ? C'est que je m'étais trompé sur la bonne.

AU MOINS J'AI LEO

Vous connaissez l'histoire de Jack Sprat et sa femme qui ne mangeaient pas les mêmes morceaux, mais à eux deux, finissaient toujours tout le gigot ? C'est pareil entre Leo et moi, si ce n'est que le gras et le maigre de la viande sont remplacés par les mots et les images. Vous pigez ? Je m'occupe des dialogues et Leo des dessins.

Leo me parle parfois mais c'est rare. Faire la conversation, c'est pas son truc, c'est tout. Si Leo voulait vous avertir que votre maison brûle, il vous le dirait probablement en image. Le mec est à peu près aussi bavard qu'une girafe. (Oh, j'en ai un millier comme ça, mesdames et messieurs.)

Dis bonjour, Leo.

Vous voyez ce que je veux dire ?

En plus, s'il est vrai qu'un dessin vaut souvent mille mots, alors mon copain Leo est plus bavard que tous les gens que je connais réunis. Il faut juste savoir le décoder.

De toute manière, Leonardo Sans Paroles est mon meilleur ami à Hills Village et n'importe où ailleurs. Et avant qu'il ait les chevilles qui enflent trop pour pouvoir rentrer dans ses chaussures, j'ajouterais qu'il n'y a pas beaucoup de prétendants à cette place. Disons que je ne suis pas franchement ce qu'on pourrait appeler quelqu'un de « populaire ».

Ce qui m'amène à la suite de cette première journée.

CHAPiTRE 4

HIP HIP HIP...
TARLADIDA

Après, au lieu d'aller à la première heure de cours, on nous a convoqués pour une Assemblée Extra-Méga-Ordinaire ! pour démarrer l'année. Tout le monde était surexcité.

Tout le monde *sauf* moi, évidemment.

L'ensemble des élèves étaient réunis au gymnase, assis sur les gradins. Sur l'estrade, il y avait un micro et au mur, une grande banderole souhaitant : BIENVENUE AU COLLÈGE DE HILLS VILLAGE !

Le directeur, M. Dwight, s'est levé pour prendre la parole. Après un discours que l'on peut résumer à :

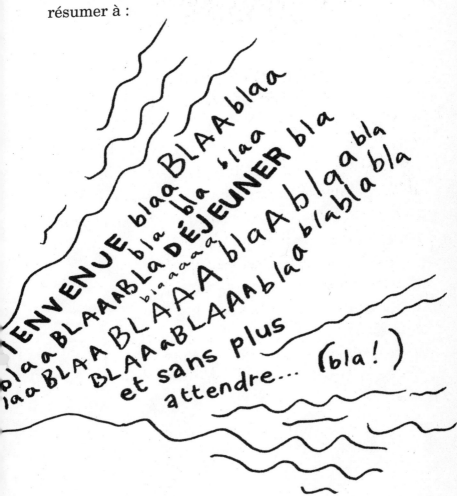

... il a appelé les équipes de football américain, de football et d'athlétisme et tous les élèves ont fini debout, à hurler comme des fous.

(Encore une fois, quand je dis « tous », je sous-entends sauf moi.) Il ne manquait plus que le chapiteau du cirque et un couple d'éléphants en train de danser.

Après ça, Mme Stricker a invité les personnes qui voulaient se présenter aux élections des délégués des élèves à s'exprimer devant l'assemblée.

Cinq ou six élèves de tous niveaux se sont levés, comme s'ils étaient parfaitement préparés. M. Rourke avait dû en parler en classe, seulement j'étais trop occupé à guetter le moment où Miller me planterait un crayon dans la nuque. À part ça, je n'avais pas prêté attention à grand-chose.

Ils ont commencé par les sixième. Deux idiots que je ne connaissais pas ont pris la parole, suivis d'un type du nom de Matt Kruschik qui mangeait ses crottes de nez jusqu'en CM1, et ensuite...

— Bonjour à tous. Je m'appelle Jeanne Galletta.

La moitié des sixième et même des cinquième, des quatrième et des troisième se sont mis à frapper dans leurs mains. Cette fille avait dû aller en primaire à Millbrook parce que je ne l'avais jamais vue auparavant. Moi, j'étais à Seagrave : on chassait les rats dans le gymnase et la plupart des élèves mangeait gratuitement le midi, y compris moi.

— Je pense que je ferais une excellente déléguée des élèves parce que je sais écouter, a expliqué Jeanne. Et il n'y a rien de plus important.

J'écoutais, j'écoutais.

Elle était jolie, ça c'est sûr. On ne pouvait pas détacher les yeux de son visage. En même temps, elle était aussi cool, comme si elle n'avait aucune raison de se croire meilleure que tout le monde.

Oh que si, pourtant !

— J'ai plein d'idées pour améliorer la vie au collège, a-t-elle poursuivi. Mais d'abord, j'aimerais faire une chose.

Elle a quitté le micro pour s'approcher du devant de l'estrade, pile poil en face de mon siège. Alors, elle m'a fixé droit dans les yeux et a dit :

— C'est toi, Rafe ?

J'ai soudain eu autant de vocabulaire que Leo mais j'ai tout de même réussi à bredouiller une réponse.

— Oui.

— Ça te dirait qu'on se partage une grande portion de frites tout à l'heure à la cafet' ?

— Absolument. C'est moi qui régale, ai-je répliqué parce que j'ai trouvé un billet de vingt dollars dans ma poche, le matin.

— Non. C'est pour moi.

Entre-temps, les autres se sont mis à me dévisager. Le groupe de musiciens a entonné un

air, les majorettes ont poussé des cris et Miller le Tueur s'est étranglé avec un M&M fourré d'une noisette. Paix à son âme ! Ensuite, j'ai gagné au loto, la paix a éclaté partout dans le monde et Mme Stricker m'a informé qu'étant donné ma personnalité absolument génialissime je pouvais sauter la sixième et revenir l'année prochaine.

— ... alors j'espère que vous voterez pour moi, a terminé Jeanne et le public l'a applaudie à tout rompre.

J'avais raté l'essentiel de son discours mais je lui ai donné ma voix sans hésiter une seconde.

Ô CRUEL RÈGLEMENT !

La fille qui a parlé après Jeanne s'appelait Lexi Winchester. Je la connaissais car elle était dans mon ancienne école. Une fille super gentille. N'empêche, je donnais ma voix à Jeanne Galletta. Désolé, Lex.

Une fois les présentations des candidats terminées, j'ai pensé que la réunion était finie elle aussi.

Pas de bol.

Mme Stricker a repris place au micro, un petit livre vert en main, le bras levé pour que tout le monde le voie.

— Quelqu'un peut-il me dire de quoi il s'agit ? a-t-elle demandé.

— Ouais, a marmonné Miller le Tueur quelque

part dans mon dos : une totale perte de temps.

— Ceci, a repris Mme Stricker, est le règlement du collège de Hills Village. Tout ce que vous avez besoin de savoir sur les choses à faire – et à ne *pas* faire – est inscrit dans ce livre.

Des profs ont commencé à distribuer un règlement à chaque élève présent dans le gymnase.

— Lorsque vous aurez reçu votre exemplaire, ouvrez-le à la première page et suivez avec moi, a déclaré Stricker.

Puis, elle s'est mise à lire. Lentement. Trèèèès lentement.

— Première partie : code vestimentaire du collège de Hills Village…

En recevant mon exemplaire, je l'ai directement ouvert à la fin. Il y avait seize parties et vingt-six pages au total. Bilan des courses : si on sortait de cette assemblée avant Noël, on pourrait s'estimer heureux.

— … on attend de tous les étudiants qu'ils s'habillent de la façon qui convient à un environnement éducatif. Aucun élève ne devrait porter de vêtement deux tailles au-dessous de sa taille normale…

AU SECOURS ! Ce n'était que la première journée et ils essayaient déjà de nous faire mourir d'ennui. *Pitié, faites que quelqu'un arrête Mme Stricker avant qu'elle ajoute à sa liste une nouvelle victime !*

Leo a sorti un crayon pour gribouiller un truc sur la couverture, au dos du règlement, tandis que Stricker passait à la lecture de la page suivante.

— Deuxième partie : objets proscrits dans l'enceinte de l'établissement. Les élèves n'ont pas l'autorisation d'amener au collège des appareils électroniques à d'autres fins que pour leur utilisation justifiée en classe. Cela comprend les portables, iPods, appareils photo, ordinateurs portables…

Et elle a continué comme ça pendant une éteeeeeernité.

Lorsque nous sommes arrivés à la sixième partie (« Motifs d'expulsion »), mon cerveau avait fondu en purée et j'aurais juré que mes oreilles saignaient.

On entend toujours les gens dire à quel point c'est super de grandir. Personnellement, tout ce que je vois, c'est plus de règles et plus d'adultes me dictant ma conduite au nom de « ce qui est bon pour moi ».

LES RÈGLES SONT FAITES

Eh bien soit, les asperges sont censées être bonnes pour moi mais ça ne m'empêche pas d'avoir envie de vomir quand j'en mange.

POUR ÊTRE ENFREINTES

En ce qui me concernait, ce livret vert dans mes mains ne faisait qu'énumérer toutes les manières dont je pouvais – et dont j'allais sans aucun doute – m'attirer des ennuis entre maintenant et la fin de l'année scolaire.

Pendant ce temps, Leo dessinait comme un malade, fidèle à lui-même. Chaque fois que Stricker mentionnait une nouvelle règle, il gribouillait un nouveau truc sur la page en face de lui. Pour finir, il a retourné le dessin pour me le montrer.

La première chose qui m'est venue à l'esprit en voyant la caricature, c'est : je veux être comme lui. Il avait l'air de s'amuser cent fois plus que moi.

C'est alors que j'ai eu une idée.

Une idée prodigieuse. Une idée grandiose ! Elle m'est venue tel un éclair.

La meilleure idée qu'on ait jamais eue dans toute l'histoire du collège. Dans toute l'histoire des idées ! Non seulement elle allait me permettre de tenir le coup toute l'année, ai-je songé, mais elle me sauverait peut-être aussi la vie, ici.

Enfin, si j'avais le cran de la mettre en action.

EURÊKA !

Vous connaissez l'expression « jusqu'à la dernière miette » ?

Eh bien, c'était l'idée, justement. Mon idée de génie. Enfreindre une par une toutes les règles du collège jusqu'à la dernière.

J'envisageais le règlement du collège de Hills Village sous deux angles possibles : mon pire ennemi ou, si je la jouais finement, mon meilleur ami.

Désolé, Leo. Je voulais dire mon deuxième meilleur ami.

Tout ce que ça demanderait, c'était un petit peu de travail… et une tonne de courage. Disons deux tonnes.

Leo savait exactement à quoi je pensais. L'idée venait de lui, après tout.

— Vas-y, m'a-t-il murmuré. Choisis une page au hasard et lance-toi.

— Maintenant ? ai-je chuchoté en retour.

— Pourquoi pas ? Qu'est-ce que tu attends ? a-t-il répondu et je suppose que la réponse était : deux tonnes de courage.

Je suis resté planté là, assis sans bouger, alors que Leo ouvrait le livre, le doigt pointé sur un passage au hasard. En voyant ce qu'il indiquait, j'ai failli avoir une crise cardiaque.

— Je ne peux pas faire ça ! ai-je rétorqué. Imagine que quelqu'un soit blessé.

— Qui veux-tu qui soit blessé ? À part toi, peut-être.

Bizarrement, je ne me sentais pas mieux.

— Écoute, m'a dit Leo, tu ne seras jamais comme eux. (Il a montré tous les délégués des élèves potentiels, les sportifs et les majorettes assis sur leurs chaises dans le gymnase.) Tandis que ça, a-t-il poursuivi en tapant le règlement avec son crayon, c'est un truc à ta portée.

— Je ne sais pas, ai-je répliqué sans conviction.

— *Sinon*, tu n'as qu'à continuer sur ta lancée et tous les jours prochains peuvent ressembler à celui-là. (Il a haussé les épaules.) Ce n'est pas si triste finalement : il y a seulement cent quatre-vingts jours d'école dans une année.

Ça a suffi pour me décider.

— OK, OK… ai-je accepté en dépit de mon cœur qui battait aussi fort que les tambours du Bronx.

Je me suis levé pour me diriger vers l'un des gardiens de prison (je veux dire « profs ») qui se tenait près de la porte du gymnase.

— Je dois aller aux toilettes, ai-je raconté.

— Tu n'as qu'à te retenir.

— Huitième partie ! s'est écriée Stricker dans le micro. Nous voici à la moitié !

— S'il vous plaît, ai-je insisté d'une voix de petit garçon risquant de faire pipi dans sa culotte.

La prof a poussé un gros soupir, comme si elle aurait mille fois préféré être avocate plutôt qu'enseignante à cet instant.

— Bon, cinq minutes alors.

Cinq minutes, c'était bien assez. Je suis sorti dans le couloir, direction les toilettes des garçons, sous le regard de la prof. Ensuite, j'ai compté jusqu'à dix et j'ai passé la tête par l'entrebâillement.

Personne à l'horizon. À ma connaissance, toute l'école était réunie au gymnase. C'était maintenant ou jamais.

J'ai piqué un sprint dans le couloir, en passant

derrière le bureau du directeur pour m'engager dans un deuxième couloir et traverser la cafétéria vers un escalier vide, au fond. Quand j'ai enfin trouvé ce que je cherchais, il ne s'était écoulé qu'une minute ou deux. J'ai fixé le petit boîtier rouge au mur, face à moi.

J'entendais d'ici Leo… *Arrête de réfléchir. Fais-le !*

J'ai soulevé le loquet, ouvert le boîtier et posé un doigt sur la petite poignée blanche à l'intérieur. C'était ce qu'on appelle le point de non-retour. « Ma mission, si je l'acceptais… » etc., etc.

Une question, malgré tout : étais-je fou ? Il fallait franchement avoir perdu la tête pour vouloir tenter un truc pareil, non ?

Affirmatif, me suis-je dit. Tu es taré.

Je voulais simplement vérifier.

Et j'ai déclenché l'alarme.

ÇA PART EN SUCETTE

J'ignore quel bruit a fait l'alarme dans le gymnase mais dans l'escalier, cela devait frôler les dix mille décibels : tuuu-u-tuuu-u ! tuuu-u-tuuu-u ! Les mains sur les oreilles, j'ai rejoint les toilettes à toutes jambes.

L'objectif, c'était de me planquer avant que les profs aient réuni tous les élèves en rang dans le couloir. Alors, je pourrais quitter ma cachette comme si de rien n'était et me mêler à la foule.

En réalité, je n'ai pas eu besoin de cette stratégie. Au moment où je m'approchais du gymnase, tout le monde marchait, courait, sautait déjà dans tous les sens. J'imagine que Mme Stricker n'avait pas dû avoir le temps d'arriver au paragraphe sur la marche à suivre en cas d'alarme incendie (onzième partie).

D'ailleurs, j'entendais encore sa voix dans les enceintes du gymnase.

— Gardez votre calme ! Mettez-vous en rang derrière votre professeur principal et dirigez-vous vers l'issue la plus proche.

Je me demande, au juste, à qui elle s'adressait vu que toute l'école semblait déjà être sortie dans le couloir. Et sur le parking. Et le terrain de foot. Et ceux de basket.

Et tout ça à cause de moi ! Incroyable ! D'un côté, je me sentais coupable, mais de l'autre… c'était génial. Pour être tout à fait honnête, seule une moitié de cette phrase est vraie. Disons plutôt que je savais que j'aurais dû me sentir coupable, mais ce n'était pas le cas.

Pendant ce temps, le vacarme de l'alarme se poursuivait…

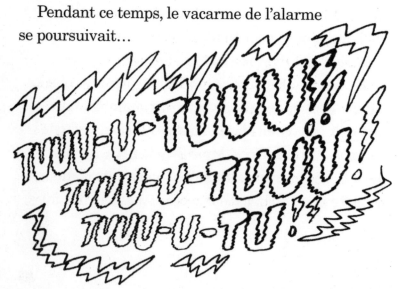

Mais à mes oreilles, cela sonnait plus exactement comme :

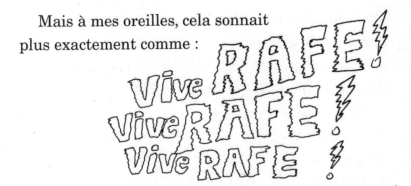

Lorsque j'ai retrouvé Leo, dehors, il m'a tapé deux fois dans la main pour me féliciter.

— La première, c'est pour la mise en œuvre, la seconde, pour l'idée, a-t-il justifié.

— Tout le mérite ne me revient pas, ai-je répliqué. Tu es à moitié responsable de l'idée.

— C'est vrai. (Il s'est tapé dans la main tout seul avant de me montrer une nouvelle fois son dessin.) Vise un peu : j'ai amélioré deux ou trois choses.

J'ai ouvert mon exemplaire du règlement et me suis reporté à la onzième partie, règle numéro trois : « Il est formellement interdit aux élèves de toucher aux détecteurs de fumée ou aux alarmes incendie. »

Là, j'ai pris le crayon de Leo et j'ai barré tout le paragraphe d'un grand trait. Ça m'a fait du bien. Une règle en moins et… toutes les autres à suivre.

CHAPiTRe 8

RETOUR À... LA RÉALITÉ

En rentrant à la maison, ce soir-là, dans le bus, tout le monde n'avait que ma fausse alarme incendie à la bouche. C'était quelque chose d'être assis ici, sachant que tout le monde parlait de moi.

Naturellement, toute bonne chose a une fin. Rapidement, je suis descendu du bus et j'ai passé la porte de chez moi.

Je vous présente mon beau-père, également connu sous le sobriquet de « Cauchemar de mes journées ». Son vrai nom, c'est Carl mais on l'a surnommé l'Ours. Il y a deux ans, ce n'était rien qu'un client au resto où ma mère travaille. Et maintenant, comble de l'illusion cauchemardesque, maman a une bague au doigt et l'Ours a emménagé avec nous.

Lui, c'est Dikta, le pseudo-chien de garde
de l'Ours. Le vocabulaire que Dikta maîtrise
parfaitement se limite à « Attaque ! ». « Couché » ou
« Arrête ! » ? Pas trop à sa portée, non. En général,
il essaie de me croquer la joue en guise de goûter.

— Couché, Dikta ! Couché ! a lancé l'Ours
qui émergeait de son hibernation juste
comme j'entrais.

L'Ours m'a libéré de Dikta puis il s'est laissé retomber à sa place d'ours sur le canapé.

— Alors, minus, et cette première journée ?

Il m'appelle minus mais était-ce nécessaire de le souligner ?

— Incroyable ! ai-je répondu. J'ai… comment dire… rencontré cette fille incroyable et après, j'ai déclenché l'alarme incendie pendant l'assemblée des élèves…

D'accord, ce n'est pas vraiment ce que j'ai dit mais même si cela avait été le cas, cela n'aurait eu aucune importance parce que l'Ours n'est pas franchement ce que j'appellerais une oreille attentive.

— Han-han. (Il s'est étiré, les bras en l'air – son seul exercice physique de la journée.) Tu t'es inscrit dans l'équipe de football ?

— Nan.

Je suis allé chercher deux crèmes au chocolat dans le frigo et me suis dirigé vers ma chambre.

— Et pourquoi non ? a-t-il hurlé dans mon dos. Le foot, c'est le seul truc auquel t'es à peu près bon !

— T'inquiète, je n'ai pas oublié que je suis un loser, Loser, ai-je rétorqué en fonçant dans le couloir.

— J'ai rêvé ou tu m'as traité de loser ? a rugi
l'Ours en retour.

— Non, c'est moi que j'ai traité de loser. (J'ai
claqué la porte.) Loser.

C'est ce que je disais, le cauchemar de mes
journées.

L'Ours et maman venaient juste de se fiancer,
l'été dernier, le jour de la fête nationale. C'est là
que l'Ours est venu vivre avec nous. Maman nous
a demandé notre avis, à Georgia et moi, avant de
répondre mais qu'est-ce qu'on allait lui dire ? « Tu
t'apprêtes à te marier avec le plus gros mollusque
de l'univers ? » De toute façon, je ne pense pas
qu'elle aurait écouté.

À présent, maman travaillait deux fois plus pour
subvenir aux besoins de toute la famille tandis que
l'Ours passait quatre-vingt-dix-neuf pour cent de
son temps sur notre canapé, sauf lorsqu'il devait
aller aux toilettes ou toucher sa stupide allocation
chômage.

Bilan des courses ? Ma mère était largement
trop bien pour ce mec, mais malheureusement,
ni elle ni l'Ours ne semblaient s'en rendre compte.

CHAPITRE 9

VISEZ UN PEU ÇA

Voici ma chambre. C'est le seul endroit de la maison où je peux me détendre, avoir un peu de tranquillité et faire tout ce que je veux. Selon maman, elle est toujours en bazar mais la vérité, c'est que j'ai trop de trucs.

oreiller-téléphone →

Télécommande du matelas

BONJOUR

Filet pour attraper les quilles

STRIKE

PSCHIIIT

LIT SUR COUSSINS D'AIR

CHAPITRE 10

VISEZ UN PEU ÇA - LA SUITE

Bon, j'avoue, j'ai peut-être un peu exagéré. Dans la réalité, ça ressemble davantage à ça.

Coloc'

J'rigole. Si on veut.

Cuisine

GEORGIA LA-POMPE-L'AIR

Environ douze secondes après que j'ai claqué la porte, Georgia a frappé. Elle a été bien avisée de ne pas rentrer sans demander d'abord la permission. Là-dessus, au moins, je l'avais bien dressée.

— Entrez !

Elle s'est exécutée et empressée de refermer derrière elle.

— Qu'est-ce qui se passe ? Pourquoi il criait comme ça ? Tu as des ennuis ?

Des fois que vous vous posiez la question, Georgia a neuf ans et demi. Elle est en CM1 et à deux cents pour cent le nez dans les affaires des autres.

— Va-t'en.

J'avais du pain sur la planche. Une mission à planifier. En plus, depuis quand ai-je besoin d'une excuse pour vouloir me débarrasser de ma sœur ?

— Répète-moi juste ce qu'il a dit, a-t-elle pleurniché.

— Tiens. (Je lui ai tendu une de mes crèmes.) Il m'a dit de manger une crème au chocolat, ça te va ? Maintenant, fiche le camp.

Elle m'a toisé d'une mine qui signifiait : « Je ne suis pas débile mais bon, je vais prendre la crème quand même » et elle a arrêté là ses questions.

La plupart du temps, je ne peux pas sentir Georgia, mais je ne voulais pas non plus qu'elle se retrouve impliquée au beau milieu d'une dispute entre l'Ours et moi. C'était elle la plus petite de la famille après tout.

— Rafe ?

— Quoi ?!

— Merci pour la crème au chocolat.

— De rien. Maintenant, ferme la porte. Une fois *dehors*, ai-je commandé en lui tournant aussitôt le dos, convaincu qu'elle m'obéirait.

Quelques instants plus tard, je l'ai entendue partir.

Enfin, un peu de calme ! Je pouvais me mettre au travail et essayer de planifier où cette mission me conduirait.

MOTIVATION, VOUS AVEZ DIT MOTIVATION ?

D'abord, il me fallait un nom. J'ai réfléchi
pendant un moment et me suis décidé pour
Opération R.A.F.E., acronyme de :

Règlement
A
Faire
Eclater

Je serai le premier à jouer à Opération R.A.F.E.,
mais il y aurait des émules. Un jour, on trouverait
les jeux vidéo Opération R.A.F.E., les figurines
Rafe Khatchadorian (je vous l'accorde, on fait
mieux comme nom de héros) ; il y aurait une

adaptation cinématographique (où je jouerais le rôle principal) et tout un parc d'attractions baptisé le Merveilleux Monde de R.A.F.E. avec seize attractions différentes et pas de taille minimum pour monter dedans. Avec tout ça (Les Entreprises R.A.F.E.), je serais le plus jeune multimilliardaire – voire plus, quand cela existera – au monde. Alors je paierais quelqu'un pour aller à l'école à ma place.

SIÈGE SOCIAL DE LA MULTINATIONALE R.A.F.E.

En attendant, je devais finir de mener à bien mon projet. J'ai décidé d'attribuer à toutes les règles du collège un certain nombre de points en fonction de leur difficulté à être enfreintes. Bien entendu, cela pouvait m'attirer de sérieux ennuis, donc je devais ajouter des points pour ça aussi. Il y aurait également des bonus comme par exemple faire rire les élèves ou si Jeanne Galletta était témoin de mes exploits. J'ai tout répertorié au sein d'un grand tableau, dans un des cahiers à spirale que maman m'avait achetés pour l'école. (Quoi ? C'était pour l'école ?)

Ce n'est qu'une petite partie. Il y a beaucoup plus de règles que cela dans le règlement du collège – 112 pour être tout à fait exact – mais vous avez pigé l'idée.

Après avoir tout écrit, j'ai commencé à songer qu'il faudrait peut-être terminer toute cette opération sur un bouquet final extraordinaire. Si l'opération R.A.F.E. devait m'aider à tenir le coup toute la sixième, alors je devrais envisager un truc grandiose – non, gigangénialissime – en guise de défi final avant de pouvoir passer au niveau supérieur (la cinquième).

OPÉRATION: R.A.F.E.

NIVEAU DÉBUTANT (improvisation, danger faible à nul)

RÈGLE	POINTS	Témoins requis ?
Bavardage en classe	10 000	4
Courir dans le couloir	10 000	4
Arrivée en retard en classe	10 000	4
Pas de chewing-gum	5 000	4
Pas d'appareils électroniques	7 500	4

NIVEAU INTERMÉDIAIRE (planification requise et/ou danger.')

RÈGLE	P-P-P-POINTS!	Témoins requis ?
Pas de bagarre	25 000	4
Sécher	20 000	4
Enfreindre un peu le code vestimentaire	10 000	4
Enfreindre BEAUCOUP le code vestimentaire	20 000	4
Pas de gros mots ni d'insultes	20 000	4

NIVEAU AVANCÉ (planification ultra importante ET/OU facteurs de risques élevés !)

RÈGLE	POINTS	Témoins requis ?
Non-respect du matériel de l'école	35 000	(seulement après)
Ne pas jouer avec l'alarme incendie	50 000	4 c'est FAIT!!
Voler le matériel du collège	40 000	

POINTS DE BONUS disponibles↓

POUR QUOI?	POINTS	NOTES
Jeanne G. est témoin	5 000 - INFINITY	5 000 la 1ère fois 10 000 la 2e, etc.
Faire éclater de rire des élèves	2 000 - 10 000	Cela dépend du nombre de personnes
Être envoyé au bureau de la sous-directrice	20 000	GARE À STRICKER!
Être envoyé au bureau du directeur	30 000	DANGER-DWIGHT!
COLLE !	50 000	ATTENTION- Donatello!
M'arranger pour ne pas finir dans le bureau de la sous-directrice, du directeur ou en heure de colle	100 000	C'est moi le plus FORT !

Je demanderais son aide à Leo et cette mission vaudrait un demi-million de points – nettement plus que toutes les autres. Il fallait que ce soit quelque chose visible par l'ensemble des élèves et dont on parlerait encore longtemps après mon départ du collège. Je tenais aussi à ce que ce soit risqué. Je devais les mériter, ces points par milliers !

J'ignorais encore comment toute cette aventure démarrerait mais quelque part, cela n'avait aucune importance. J'étais juste impatient de commencer. En fait – et s'il vous plaît, gardez ça pour vous – pour la première fois de ma vie, j'étais même impatient de retourner à l'école.

CHAPITRE 13

EN AVANT !

Le lendemain matin, maman a posé deux assiettes d'œufs brouillés devant Georgia et moi puis elle s'est assise pour nous regarder manger. Elle adore faire ça, ce qui me dépasse complètement. C'est vrai, elle bosse dans un resto. Autrement dit, elle passe sa vie à regarder les gens manger.

— Vous dormiez tous les deux quand je suis rentrée hier soir, nous a-t-elle expliqué. Alors, et cette première journée ? Je meurs d'envie de tout savoir.

Cela me démange de lui demander de préciser ce « tout » mais je ne voudrais pas attirer les soupçons avec un message digne d'une enseigne au néon disant : J'AI UN TRUC À CACHER.

Le hic, c'est que je n'aime pas mentir à maman. Enfin, je le fais quand, vraiment, il le faut mais je trouve qu'elle a déjà assez de soucis comme ça.

Du coup, j'ai enfourné un bout de tartine avec
un peu d'œufs dans ma bouche et j'ai mâché aussi
lentement que possible.

Georgia s'est donc lancée en premier.
Heureusement pour moi, elle est super bavarde.
Et quand je dis super, c'est SUPER. Si maman ne
l'avait pas coupée, j'aurais tout à fait pu quitter
la maison sans avoir prononcé une seule parole.

— Et toi, Rafe ? m'a-t-elle interrogé au moment où
Georgia reprenait finalement son souffle. Comment
tu trouves le collège pour l'instant ?

— Ben, ce n'est pas si terrible.

Comme dit souvent Leo, ne pas dire toute la vérité
et mentir sont deux choses différentes.

Maman a écarquillé les yeux comme s'il m'était
brusquement poussé une seconde tête ou un truc
dans le style.

— Qui êtes-vous ? Rendez-moi mon fils Rafe !

— Je n'ai pas dit que j'adorais ça…

— Non, mais apparemment, c'est un bon début.
Je suis fière de toi, mon chéri. Tu dois faire quelque
chose de positif. Peu importe ce que c'est, continue.

— Oh, compte sur moi, ai-je répondu, la bouche
aussi pleine de mensonges que d'œufs brouillés.

CHAPiTRe 14

LES RÈGLES SONT FAITES POUR ÊTRE ENFREINTES

Les jours qui ont suivi ont été supportables, ni plus ni moins. Je ne pouvais pas surpasser le coup de l'alarme incendie de lundi alors je n'ai même pas essayé. J'en suis resté au niveau débutant de mon tableau, histoire de ne pas me tourner totalement les pouces.

Mardi, j'ai mâché du chewing-gum en première heure de cours et M. Rourke m'a obligé à le jeter (5 000 points).

Mercredi, je suis passé en courant dans le couloir devant le bureau du directeur jusqu'à ce que M. Dwight me commande d'appuyer « sur la pédale de frein, jeune homme » (10 000 points).

Jeudi, j'ai sorti un Snickers pour le manger à la bibliothèque et Mme Frurock, qui doit avoir dans les 180 ans, m'a ordonné de le ranger dans mon sac (5 000 points). J'ai eu le temps d'en prendre une bouchée en cachette avant mais comme elle n'a rien vu, je n'ai pas touché de bonus.

Vendredi, je sentais qu'il manquait quelque chose. Enfreindre simplement les règles ne suffirait pas. Il me fallait plus. Un défi pour mettre la barre plus haut dans mon jeu.

J'avais besoin… de Leo-iser tout ça !

Leo est venu me rejoindre à mon casier juste avant la dernière heure de cours. Évidemment, il a su tout de suite ce que je devrais faire. Leo a réponse à tout.

— Tu te la coules douce, m'a-t-il dit. Si tu veux jouer à Opération R.A.F.E., tu dois t'y consacrer à fond. Je vais te corser un peu la tâche, moi.

— Toi ? Depuis quand c'est toi qui décides ?

— Depuis que j'ai à moitié eu l'idée de ce jeu, a-t-il répliqué. Voilà le topo : il est deux heures vingt-six. Autrement dit, il reste quarante-neuf minutes avant la sortie. C'est le laps de temps que je t'accorde pour gagner trente mille points supplémentaires.

— *Trente mille ?*

C'était plus que le total que j'avais accumulé au cours des trois derniers jours.

— Ouais, sinon tu perds une vie, a-t-il décrété.

— Deux secondes. (Leo allait un peu trop vite... même pour Leo.) J'ai des vies ?

— Bien sûr, a-t-il répliqué comme si ça allait de soi. Trois, pour être tout à fait exact.

— Et qu'est-ce qui se passe si...

Je ne voulais pas le dire tout haut.

— Alors t'es un méga loser : le jeu s'arrête et le reste de l'année promet d'être aussi drôle qu'une diarrhée sans fin.

— Oh, et c'est tout ?

Leo a haussé les épaules.

— Il faut bien que cela reste intéressant.

C'est le truc avec Leo. Il sait clairement comment pimenter les situations. Enfin, ce n'est pas juste parce qu'il dit un truc que je dois lui obéir. Mais qu'est-ce que vous préféreriez, à ma place ? Jouer à ce jeu en solo ou avec votre meilleur ami ?

Ouais, c'est bien ce que je pensais.

— Bon, la partie continue, ai-je décrété avant de lancer un coup d'œil à la pendule juste au moment où la cloche sonnait.

— Quarante-huit minutes ! Bientôt quarante-sept, a compté Leo. Magne-toi.

SHAKESPEARE À MA SAUCE

Lorsque je suis arrivé en cours d'anglais avec Mlle Donatello, il me restait quarante-sept minutes et demie. Le compte à rebours était enclenché : ma vie en dépendait ! (L'une d'elles, en tout cas.)

Après avoir relevé les absences, Donatello nous a annoncé qu'on allait lire des passages de *Roméo et Juliette* à voix haute. C'est M. William Shakespeare qui l'a écrit : personnellement, j'attribue sa célébrité au fait qu'il ait signé les pièces de théâtre les plus chiantes de toute l'histoire de l'univers.

— Nous sommes un peu en avance sur le programme de votre niveau, nous a avertis la prof, mais je pense que vous serez à la hauteur.

De toute évidence, elle avait encore vachement de chemin à faire avant de me connaître.

Alison Prouty, qui lève toujours la main pour un oui ou pour un non, a aidé à distribuer les photocopies pendant que Donatello nous assignait tel ou tel passage. Quand est arrivé mon tour, elle m'a lancé :

— Rafe, je pense que tu serais parfait dans le rôle de Pâris.

Toute la classe était écroulée de rire.

— Pâris ? ai-je relevé. Pourquoi je dois jouer le rôle d'une fille ?

— Pâris est un garçon, m'a répondu la prof. C'est l'un des garçons d'honneur de Lord Capulet.

— Ça n'empêche : je parie qu'il porte des collants.

Mais Donatello a ignoré ma remarque.

— Écoutez bien les dialogues lors de la lecture, nous a-t-elle demandé. Faites attention à chaque vers : vous verrez qu'ils ont tous dix pieds. Soyez à l'affût des rimes subtiles. Ce n'est pas facile. Personne n'écrivait comme Shakespeare. Personne !

Et dans ma tête, un message a soudain clignoté : « Hummmm. Graine d'idée en germe, veuillez patienter. »

— Allons-y, a dit la prof. Acte Un, Scène Un.

Il se trouve que ce type, Pâris (c'était un mec pour de vrai !), n'arrive pas avant la page 12. Tant mieux.

Cela m'a donné le temps nécessaire pour peaufiner mon idée. Donatello a dû croire que je prenais des notes comme Jeanne Galletta et les autres intellos de la classe, alors qu'en réalité, je m'étais mis en chasse de ces 30 000 points.

Dix pieds par vers ? OK.

Rimes internes ? OK.

Au moment où je devais entrer en scène, il ne restait plus que quelques minutes avant la sortie, mais j'étais prêt.

— Acte Un, Scène Deux, a lu la prof. Lord Capulet et Pâris.

Jason Rice, dans le rôle de Lord Capulet, devait parler en premier. Ça disait à peu près :

— « Mais Montague est aussi contraint que moi » et bla bla bla. « Pour que les hommes aussi vieux que nous maintiennent la paix » et patati et patata. (Je vous avais dit que c'était la barbe, ce truc.)

À présent, c'était mon tour. J'ai posé mon papier sur la photocopie et baissé les yeux pour faire semblant de lire le bon passage. Ensuite, d'une voix claire et forte, j'ai déclaré :

— Ciel, vous avez marché dedans, Messire !

— Rafe ! s'est écriée Donatello mais son cri a été masqué par les rires des autres, donc j'ai continué.

« Votre femme est moche, votre fille aussi. J'trouve cette pièce débile et vous savez quoi ? Parlez à mon c..., ma tête est malade. »

C'est le plus loin que j'aie pu aller avant que Donatello la Femme Dragon m'arrache la feuille des mains.

Je savais que j'étais dans le caca jusqu'au cou moi aussi, seulement croyez-moi : cela valait vraiment la peine. Tout le monde, hormis la prof, était plié en deux, y compris Jeanne Galletta.

Yes !

Et le plus important, c'est que plus personne ne riait de moi. Ils riaient tous avec moi. C'est comme la différence entre le jour et la nuit. Ou le mouillé et le sec.

Ou, dans ce cas, perdre et gagner.

CHAPITRE 16

UNE CORDE RAIDE VAUT MIEUX QUE PAS DE CORDE DU TOUT

Donatello n'a pas eu besoin de me dire de rester après la classe. Ça allait de soi. Une fois tous les autres sortis, elle m'a passé un méchant savon.

— Je t'écoute, Rafe : qu'est-ce que c'était que ça ?

— Rien.

— Ce n'était pas rien. Premièrement, laisse-moi te dire que j'ai remarqué que tu avais gardé la métrique de Shakespeare…

— Merci !

— … mais ton comportement est complètement inacceptable. Tu peux mettre ta créativité au profit de bien meilleures choses et je pense que tu le sais aussi bien que moi.

J'ai hoché la tête à intervalles réguliers tandis qu'elle parlait. Cela semblait être la chose à faire.

— Je vais te donner un avertissement pour cette fois, mais sache que tu marches sur la corde raide, m'a prévenu Donatello. C'est clair ?

« Oui, oui, oui », a dit ma tête.

Je n'ai pas entendu grand-chose du reste de son sermon. Tout ce à quoi je pensais, c'était :

Pas de gros mots ni d'insultes	20 000
Bonus : éclats de RIRE + +	10 000
Bonus : Jeanne G. est témoin	5 000

Déjà 35 000 points pour la journée. J'avais relevé le défi de Leo et pulvérisé le score final. Encore mieux, j'avais dorénavant la preuve que Jeanne Galletta connaissait mon existence. C'est ce que j'appelais « progresser » !

Au moment où je partais, Donatello m'a lancé :

— J'espère que tu retiendras la leçon, Rafe.

— Tout à fait, lui ai-je assuré. Comment l'oublier ?

Et la leçon en question, c'était qu'il y avait deux façons de jouer à Opération R.A.F.E. – la façon chiante et la façon Leo.

Oh, et j'ai aussi appris que Leo Sans Paroles est un génie.

NOUVELLE RÈGLE

En rentrant à la maison cet après-midi-là, je suis allé directement dans ma chambre avec Leo et on a commencé à reporter tout ce qui s'était passé jusqu'ici dans mon cahier Opération R.A.F.E. : les règles du règlement que j'avais enfreintes, les points que j'avais gagnés et même une partie des dessins de Leo en guise d'illustrations.

On faisait les fous lorsque les rugissements de l'Ours me sont parvenus depuis le couloir.

— Qu'est-ce que tu fabriques ? a-t-il hurlé.

Ensuite, j'ai entendu Georgia.

— Rien, a-t-elle répondu. Je voulais juste…

— Je suis en train de regarder, là ! Ça va pas, de zapper !

— Mais ! Tu dormais !

— Il n'y pas de « mais » qui tienne ! Tu as le choix entre regarder le match avec moi ou ficher le camp d'ici. Qu'est-ce que tu choisis ?

Une seconde plus tard, j'ai entendu des bruits de pas puis la porte de la chambre de ma sœur claquer.

Je *détestais* qu'il lui crie après comme ça, plus encore que lorsqu'il me hurlait dessus. C'est juste une petite fille et lui… Disons que c'est aussi un enfant mais le plus grand et le plus méchant qu'on ait jamais vu.

— Trop facile de s'en prendre à plus petit que soi ! ai-je piaillé dans le couloir.

— Mêle-toi de tes oignons, a rétorqué l'Ours.

Aussitôt, il a haussé le volume de la télévision. Inutile d'essayer de lui faire entendre raison. Ce serait une perte de temps.

— Tu sais quoi ? a dit Leo aussitôt la porte refermée. On va instaurer une nouvelle règle.

— C'est justement ce que je me disais, ai-je répondu. Il ne doit pas y avoir de blessé pendant mon Opération R.A.F.E.

— En particulier parmi les jeunes enfants, a ajouté Leo.

Et j'ai acquiescé. C'est vrai, si Miller le Tueur

tombait accidentellement dans la machine à broyer le papier, ce n'est pas moi qui pleurerais sur son sort, mais sinon…

— Appelons ça la règle « Sois pas Ours » ! a proposé Leo.

— Et pourquoi pas la règle « Pas de blessés » tout simplement ?

— Ça me va, a accepté Leo.

Alors je l'ai ajoutée aux autres dans le cahier.

LA RÈGLE « PAS DE BLESSÉS » DE RAFE :

Ne blesser personne. J'assume tous les risques comme étant les miens seuls. **PAS D'EXCEPTION.**

Je ne prétends pas être un saint. Je ne dis pas non plus que cela a fait de moi « quelqu'un de bien », peu importe ce que l'expression signifie. (J'essaie toujours de comprendre.) Seulement, si intégrer la règle « Pas de blessés » au jeu pouvait garantir que je ressemble le moins possible à l'Ours, alors j'étais à deux cents pour cent pour.

Parce que l'Ours, lui, ne jurait que par le contraire.

CHAPITRE 18

LES PROFS VEULENT ME MATER MAIS JE SUIS INMATABLE

Vous connaissez ces histoires de vampire où le petit nouveau refuse de boire le sang des autres… jusqu'à ce qu'il y goûte ? Alors, il n'arrive plus à penser qu'à une chose : du sang, encore et toujours !

Bon, d'accord, j'aurais pu trouver mieux comme exemple.

L'idée, c'est que maintenant que j'avais enfin compris comment jouer à ce jeu, je ne pouvais plus m'en passer. J'ai consacré les deux semaines qui ont suivi à peaufiner ma technique. Leo a commencé à m'attribuer des points pour ma créativité et ça m'a encore plus motivé. Mais Leo n'était pas le seul à m'aider.

Le moment est peut-être venu de vous présenter d'autres acteurs de la prison pour collégiens de Hills Village qui m'ont poussé à donner le meilleur de moi-même. Visez un peu ça :

Ça, ce sont les dames de la cafétéria.

Je les ai baptisées Millie, Billie et Tilly. D'après moi, elles ont été chargées par le gouvernement de décimer la population de collégiens dans tout le pays, déjeuner après déjeuner.

Ça, c'est mon prof d'espagnol, Señor Wasserman.

Il est cool mais au moindre faux pas grammatical, vous êtes morts !

M. Lattimore est mon prof de gym ; il aurait bien besoin qu'on lui rappelle qu'il n'est plus à l'armée. Seulement, personne n'a jamais osé. Si, si, je suis sérieux.

J'y suis allé fort avec cette règle. M. Lattimore n'a pas trouvé le coup de la vieille trottinette très drôle. (Rappelons que Lattimore a subi une ablation chirurgicale du sens de l'humour en 1985.)

Il m'a donné trente pompes à faire, deux tours de piste supplémentaires et… ta-da ! ma première heure de colle.

Enfin, ce n'était pas que ça me *plaisait* d'être collé mais au moins, maintenant, j'avais rapporté le gros lot.

On peut dire que j'avais le vent en poupe. Même en rentrant à la maison ce soir-là, j'ai eu de la chance. Il y avait un message de Mme Stricker sur le répondeur : elle demandait à maman de rappeler le collège. Ce n'est pas là que j'ai eu de la chance (et puis quoi encore ?). Le coup de bol, c'est que j'ai écouté le message en premier et que j'ai pu « accidentellement-exprès » l'effacer.

Maman était au travail, l'Ours pionçait et Georgia, d'après mes calculs, creusait un tunnel jusqu'à l'Australie. Tant que personne n'avait caché de caméras de surveillance dans la maison (hé, on ne sait jamais), tout irait bien.

TARTE POMME-CANNELLE

Vendredi soir typique.

Maman ne rentrerait pas avant un moment et Georgia et l'Ours s'étaient endormis avant neuf heures : Georgia parce qu'elle est petite et l'Ours parce qu'il est toujours exténué après toute une journée passée sans bosser.

Le week-end, j'ai le droit de me coucher plus tard et étant donné que Jeanne Galletta ne me suppliait pas franchement de sortir avec elle (pour l'instant !), je suis resté à la maison et j'ai fait comme d'habitude les vendredis soir.

D'abord, je suis allé chercher un morceau de fromage dans le frigo. Ensuite, je me suis approché de Dikta pour qu'il le voie – mais pas trop près quand même.

— Dikta ! Viens ici, le chien !

Dès qu'il s'est approché pour le fromage, j'ai couru aux toilettes et jeté le morceau à l'intérieur. J'ai beau lui avoir fait le coup un million de fois, Dikta n'a toujours pas capté. Il s'est rué sur le fromage comme si c'était son dernier repas sur Terre tandis que je fermais la porte puis m'éloignais. Problème résolu.

Ensuite, je suis allé au garage où j'ai piqué une canette de Zoom dans la réserve secrète-pas-si-secrète-qu'il-le-croit de l'Ours. Il en garde des caisses entières pour sa consommation personnelle si bien qu'il ne remarque jamais s'il en manque une ou deux.

Le Zoom, ça a le goût d'un mélange de Coca et de chocolat, et c'est bourré de caféine – ce qui est dur à croire compte tenu que l'Ours passe son temps à dormir. Je bois le mien dans une tasse – pour qu'il ne s'aperçoive de rien au cas où il se réveille.

Après ça est venu le passage le plus périlleux.

Je me suis approché de l'Ours sur la pointe des pieds et j'ai retiré un par un ses doigts de la télécommande. Ensuite, je lui ai pris délicatement l'objet des mains ; c'était un peu comme désamorcer une bombe. En cas de dérapage, ça se terminerait par une gigantesque explosion et tout serait fini. Dans le cas contraire : génial !

En zappant, j'ai découvert un film pas mal sur un type qui cherchait à s'échapper de l'île dont il était prisonnier avec un radeau fabriqué à partir de noix de coco. J'aurais vraiment voulu le voir réussir mais je me suis endormi avant la fin. Et finalement, c'est maman qui m'a réveillé juste au moment de la publicité.

Je sentais l'odeur de tarte aux pommes et de cannelle imprégnée dans son uniforme. C'est son parfum habituel lorsqu'elle rentre du boulot. Les jours de chance, elle rapporte de la tarte aux pommes à la maison et on peut en manger pour le petit-déjeuner.

Maman m'a raccompagné à ma chambre.

— Comment s'est passée ta journée ?

— Bien. Au-dessus de la moyenne, lui ai-je

raconté, ce qui était la vérité.

— Tu as l'air différent ces derniers temps. Plus heureux. Ça fait plaisir à voir.

Ne sachant pas quoi répondre, je me suis contenté d'un merci.

Ensuite, elle a tiré sa tête de quand elle essaie de deviner à quoi je pense.

— À propos, Rafe ? Tu n'as pas vu… Leo dernièrement, si ?

Aïe. Je ne l'avais pas vue venir celle-là.

Leo est un sujet plutôt sensible chez nous. Et pour la première fois depuis longtemps, j'ai senti qu'un gros mensonge à maman s'imposait alors j'ai répondu d'un signe que non. D'une certaine façon, cela semblait moins terrible que de mentir à voix haute.

Maman a eu l'air soulagé – raison précise de mon mensonge : pour qu'elle ne s'inquiète pas.

— Très bien. Mais n'oublie pas, si tu as besoin de parler de quoi que ce soit…

— Je sais, maman. Merci.

Sur ce, elle m'a serré dans ses bras et m'a souhaité bonne nuit ; j'avais passé l'âge mais ça ne me dérangeait pas vraiment. J'adorais cette odeur de cannelle.

CHAPITRE 20

MILLER LE TUEUR GÂCHE MON HEURE DE COLLE

J'ai continué à avoir de la chance encore quatre jours, quinze heures et (environ) vingt minutes.

C'était mercredi après l'école et je m'apprêtais à faire ma première heure de colle. Tous les autres élèves étaient rentrés chez eux alors le couloir était vide et j'ai eu le malheur (à mon insu) de m'arrêter boire un coup. Méga bourde.

À peine ma première gorgée avalée, j'ai senti la patte surdimensionnée de Miller sur ma nuque. Soudain, mon visage s'est retrouvé écrasé contre le fond de la fontaine où je me suis efforcé de ne pas avaler le chewing-gum que quelqu'un y avait laissé.

— Mais qui voilà ? a dit Miller.

Il m'a tiré vers l'arrière et m'a plaqué dos au mur. Alors, il a collé son visage au mien. Je pouvais voir les morceaux de chips coincés entre ses dents.

— On dirait que tu t'es fait une sacrée réputation dans le coin, m'a-t-il lancé. Tu joues à quoi exactement ?

— De quoi tu parles ?

Mon cœur, dans ma poitrine, semblait chercher à battre un record mondial de vitesse. J'aurais bien aimé essayer de le frapper mais il ne faut pas être une lumière pour savoir qu'un mètre soixante-cinq et soixante-dix kilos vont l'emporter à coup sûr contre un mètre cinquante-deux et quarante-six kilos. Miller avait le pouvoir de me mettre au tapis avant même que je lui aie décoché le premier uppercut.

— Écoute. (Il a tordu mon tee-shirt dans son poing.) Tu cherches à prouver que c'est toi la terreur du collège ? Trop tard. (Il a reculé d'un pas.)

Toi contre moi ! Dehors ! Tout de suite.

— Hum...

Il m'a menacé d'un doigt tout près de mon visage.

— Un.

— Hummmm.

Et puis un deuxième doigt.

— Deux.

C'est alors que je me suis souvenu.

— Je ne peux pas !

— Pourquoi pas ? Espèce de poule mouillée !

— Non. Je suis collé !

J'ai aperçu une porte de sortie : en lui passant sous le bras et hop ! dans le couloir.

— Collé ? a-t-il répété. C'est exactement ce dont je parlais. Je t'ai dans le collimateur, Khatchadorian ! Surveille tes arrières, sinon le catch, c'est sur le ring que tu vas l'avoir ! C'est ça, cours...

Je filai droit vers le bureau de Mlle Donatello.

— Je te retrouverai, va ! a hurlé Miller.

Et il avait probablement raison. À moins que le collège de Hills Village ait un programme de protection des témoins, j'étais un homme mort.

Qu'est-ce que je haïssais ce Miller.

CHAPiTRE 21

LES MAUVAISES NOUVELLES CONTINUENT

Leo m'a rattrapé avant le début de mon heure de colle ; il avait tout vu.

— J'ai des mauvaises nouvelles ! a-t-il annoncé.

— Je viens de les rencontrer, les mauvaises nouvelles ! ai-je répliqué.

— Oui mais ce n'est pas tout. Tu viens également de perdre une vie. Désolé, mon pote.

Je me suis figé sur place dans le couloir.

— Quoi ? N'importe quoi ! Qu'est-ce que tu racontes ?

— Tu t'es dégonflé devant Miller.

— Ouais, eh bien je n'avais pas envie de faire don de mon sang aujourd'hui.

Leo a haussé les épaules.

— Tu aurais pu augmenter tes points. « Neuvième

partie, règle numéro onze : les élèves n'intimideront pas, n'harcèleront ni ne se battront avec leurs camarades, où que ce soit dans l'enceinte de l'établissement. »

— Ce n'est pas juste ! Ce n'est pas parce que je ne me suis pas battu avec lui que je dois perdre une vie ! Tu n'as jamais dit que…

— J'ai dit que je veillerais à ce qu'il y ait de l'action, m'a répondu Leo. Toi, tu fais ton boulot et moi, le mien.

— Bref. (J'ai commencé à m'éloigner.) N'empêche, je n'ai pas perdu de vie pour autant.

— Si ! s'est-il écrié dans mon dos.

Bien sûr, je savais qu'il avait raison.

Je n'en revenais pas. D'abord, Miller manquait de me réduire en chair à saucisse, ensuite Leo me retirait une des trois seules vies que j'avais. La journée pouvait-elle encore empirer ?

CHAPiTRe 22

ET POUR COURONNER
LE TOUT...

J'avais imaginé qu'en colle, il y aurait Mlle Donatello, d'autres élèves et moi, mais en arrivant dans son bureau, je l'ai trouvée toute seule.

— Tu es en retard, a-t-elle constaté.

— Où sont les autres ?

— J'ai demandé à Mme Stricker de surveiller tes camarades pour aujourd'hui. J'espérais qu'on pourrait discuter, tous les deux.

DANGER!

DANGER!

DANGER!

Au cas où vous ne le sauriez pas déjà, lorsqu'un adulte veut « discuter », cela signifie en réalité qu'il veut que vous, vous parliez, en particulier de trucs dont vous n'avez aucune envie de parler.

En d'autres termes, la Femme Dragon m'avait tendu un piège et j'étais tombé dedans la tête la première.

— Assieds-toi, me propose-t-elle.

— Non. Asseyez-vous, *vous* !

Je dégaine et mon épée fend l'air dans un sifflement strident.

Les pupilles de la Femme Dragon virent au jaune.
Deux longs jets de flammes sortent de ses naseaux.
Je plonge par-dessus un bureau en feu, roule sur moi-
même et rebondis sur mes pieds.

Sa queue, déjà, se met à battre, tel un fouet, dans
ma direction. Juste avant qu'elle me tranche l'oreille
et le crâne, j'en coupe l'extrémité avec mon épée.
Mon visage est aspergé de sang vert. Elle pousse un
hurlement de douleur.

— Arrière ! lui crié-je.

Je lis la peur dans ses yeux jaunes.

Mais elle fait semblant ! Elle se rue à nouveau
sur moi, ailes déployées, toutes griffes dehors, avec
sa queue-lame-de-rasoir qui continue à essayer de
m'ouvrir le crâne.

Les flammes sont partout à présent. Toute
la pièce est en feu et il règne une chaleur
insupportable. Ma peau – je le sens – est en train
de brûler peu à peu. Pourtant, je continue à frapper.
Une-deux ! Une-deux ! Cela devient de plus en plus
difficile de bouger parce que mes baskets sont en
train de fondre.

Pour finir, je parviens à la faire reculer dans un
coin. Je lève mon épée bien haut, prêt à porter le coup

fatal… lorsqu'elle rouvre ses ailes et s'élève vers le plafond.

Elle volette sur place, hors de ma portée. Je frappe de plus belle. En vain. Heureusement, sa queue ne m'atteint pas non plus d'où elle est. Je finis par me dire que ça risque de continuer ainsi toute la soirée quand tout à coup…

DRIIIIING !

Et, aussi simplement que ça, ma première heure de colle s'est terminée.

Les élèves prenant les derniers bus scolaires pour rentrer chez eux sont invités à se présenter sur le parking immédiatement.

— Tu me déçois, Rafe, a insisté Mlle Donatello. Tu as tellement de potentiel…

— Je dois prendre mon bus. Je peux y aller ?

Avec un soupir, elle m'a congédié d'un geste de la main.

J'avais survécu à la torture une journée de plus, mais tout comme dans le cas de Miller le Tueur, j'ignorais exactement combien de temps j'allais pouvoir maintenir à distance la Femme Dragon.

CHAPiTRE 23

QUEL INTÉRÊT, DE TOUTE MANIÈRE ?

—**E**t puis qu'est-ce que ça me rapporte au final ? ai-je voulu savoir.

Dans ma chambre, Leo et moi récapitulions ce que j'avais accompli jusqu'ici.

— Te rapporte ? a-t-il relevé.

— Tous ces points. Il faut bien qu'ils valent quelque chose, n'est-ce pas ? Qu'est-ce que je gagne ?

— Tout dépend avec quel score tu termines, a dit Leo. Il t'en faut au moins un million.

— Pour quoi ?

Leo a réfléchi quelques instants.

— Une semaine de sauts en chute libre dans le Grand Canyon, tous frais payés.

— Je vais avoir besoin de m'entraîner.

— Pas de souci. On va te trouver ce qu'il y a de mieux côté formation.

Ça me plaisait comme idée. Pour commencer, en tout cas.

— Après, descente de rapides en rafting, ai-je exigé. Arrivée au Colorado.

— Puis escalade pour sortir du canyon, a complété Leo. Où ta Lexus et un faux permis de conduire t'attendront.

— Cool !

Tout ce temps, Leo dessinait. Rien de nouveau :
c'est son hobby.

— Et Jeanne Galletta ? ai-je soulevé. Il faut
l'inclure.

— Ça fera deux cent mille points en plus. Mais
je vais rajouter l'Ours. Tu sais, histoire qu'il se
perde dans la nature sauvage et que de vrais ours
l'adoptent.

C'était de mieux en mieux.

— Pour le même prix, les ours n'ont qu'à le
manger.

Leo, cependant, a secoué la tête.

— Pas de blessé, tu te souviens ? On l'a marqué dans le cahier.

— Je vais faire une exception.

— Pas d'exception, a refusé Leo. En outre, tu as besoin de cette règle « Pas de blessé ». C'est la seule partie de ton plan qui va plaire à Jeanne Galletta.

C'est pour ça que Leo est un génie. Il pense à tout.

— Tu sais, lui ai-je lancé, tu devrais songer à adresser la parole à d'autres personnes une fois de temps en temps. Je suis sûr qu'ils t'aimeraient bien.

Leo, toutefois, n'a pas réagi. Leo Sans Paroles n'aimait pas parler. C'est alors que je me suis rendu compte qu'il y avait quelqu'un à ma porte.

— Rafe ? Tu es là ?

C'était maman.

— Une seconde ! me suis-je écrié.

Leo a disparu comme par magie et j'ai jeté mon cahier au fond d'un tiroir juste au moment où maman entrait. Un simple coup d'œil à l'expression sur son visage et j'ai su immédiatement que ça allait barder pour moi.

— Non, pas une seconde. On doit parler, toi et moi. Tout de suite !

CHAPiTRe 24

LA FEMME DRAGON PLUTÔT QUE L'OURS ET PLUTÔT DEUX FOIS QU'UNE

En suivant maman au salon, je l'ai découverte aussi furax que je m'y attendais. Le problème, c'était que l'Ours aussi était là, bien réveillé, assis, le dos droit. Pas prévu au programme, ça !

— Qu'est-ce qu'il y a ?

Je me la jouais « détaché » pour l'instant.

— Tu as été collé aujourd'hui ? m'a pressé maman.

Oh-oh ! J'étais démasqué !

— Ben… si on veut.

— Si on veut ? a répété l'Ours. Si on veut ? Tu nous prends pour des imbéciles ?

Maman l'a prié de rester calme sans me quitter des yeux.

— J'ai reçu un coup de fil de Mme Stricker. Elle m'a assuré qu'elle avait laissé un message ici la semaine dernière. Tu es au courant ?

Olavache ! Doublement démasqué !

À cet instant précis, qui a rappliqué, évidemment ? Georgia.

— Que se passe-t-il ? Rafe a des ennuis ?

— Dans ta chambre ! lui a hurlé l'Ours.

— Pas la peine de lui parler sur ce ton, a dit maman. Georgia chérie, c'est entre Rafe et nous.

Ma sœur a de nouveau disparu, mais je savais qu'elle se cachait dans le couloir, pour nous épier. Au moins, j'aurais des témoins si l'Ours me tuait – ce qu'il avait précisément l'intention de faire, vu son air.

— Tu es privé de sorties pendant une semaine ! m'a-t-il craché, penché sur moi, à présent. Et que je ne te voie pas toucher au répondeur ! Pigé ?

— Une minute, a repris maman. Je voudrais écouter ce que Rafe a à dire. Carl, assieds-toi. S'il te plaît.

Il s'est exécuté et elle m'a regardé.

— Rafe... je t'écoute.

Malheureusement, ma version de l'histoire ne valait pas grand-chose. Je leur ai raconté l'épisode de la trottinette en cours de sport ainsi que le chapitre « heure de colle » et aussi que j'avais effacé le message sur le répondeur. Même sans prononcer une fois le mot « Opération R.A.F.E. », je m'en tirais finalement à aussi mauvais compte que ce que l'Ours avait imaginé.

À la fin de mon speech, maman a inspiré profondément.

— À présent, Rafe, j'aimerais te poser une autre question et je compte sur ton honnêteté. Leo a-t-il quoi que ce soit à voir dans tout ça ?

J'aurais probablement avoué si l'Ours n'avait pas décidé de mettre son grain de sel avant même que j'aie le temps d'ouvrir la bouche.

— Encore ce Leo ! a-t-il hurlé. J'en ai ma claque de lui. Je ne veux même plus entendre prononcer ce nom dans cette maison, c'est compris ? Espèce de… malade !

— Malade toi-même ! ai-je riposté.

— Ça suffit tous les deux ! (Maman s'est levée, s'interposant entre nous.) Rafe, tu es consigné jusqu'à nouvel ordre. Carl… va calmer tes nerfs ailleurs. Je n'ai envie de parler ni à l'un ni à l'autre pour l'instant.

J'avais déjà repris le chemin de ma chambre de toute manière. Notre « conversation » était terminée.

Dans le couloir, je suis tombé sur Georgia. Pas

une surprise. N'empêche, je ne l'ai pas dénoncée. Je me suis contenté de la pousser dans le dos vers sa chambre avant de claquer la porte de la mienne de toutes mes forces. Je mourais d'envie de jeter quelque chose, de frapper un truc et de réduire l'Ours en purée, tout ça en même temps.

— Il y a un moyen de te venger, m'a promis Leo.

— La ferme ! Tu n'existes même pas !

J'ai ramassé la tortue en céramique que j'avais fabriquée en CE1 et l'ai jetée contre le mur. Elle a volé en éclats mais ça m'était égal. Même le fait d'être consigné me laissait indifférent. Ce n'est pas comme si j'avais deux dizaines d'amis qui m'attendaient pour jouer après l'école tous les jours.

D'ailleurs, je n'avais qu'un ami et techniquement, il n'existait même pas.

— Tout ce que je dis, a insisté Leo, c'est que je connais un moyen pour toi de te venger de l'Ours et peut-être de gagner des points par la même occasion. Si ça t'intéresse. Il m'a fallu un moment pour me calmer, mais après y avoir réfléchi, j'ai décidé que cela m'intéressait, oui.

— Mais il faut que tu saches : sur ce coup-là, tu risques de gros ennuis.

— Et alors ? Des ennuis, j'en ai déjà. Vas-y, continue.

TEMPS MORT

Bon, si on faisait une pause pendant une seconde.

Je tiens simplement à préciser : ce n'est pas comme si j'essayais de vous mentir à propos de Leo – du fait qu'il ne soit pas vraiment réel.

Je sais, je sais : faut être grave pour entrer au collège tout en ayant encore un ami imaginaire. Mais je ne le vois pas exactement comme ça. C'est juste qu'il est avec moi depuis toujours et que je n'ai jamais vu de raison d'arrêter de lui parler.

Hmmm… je pourrais faire mieux comme explication.

Ce n'est pas que je croie que Leo est vraiment là. C'est plutôt : et si quelqu'un était vraiment là, à me répondre et m'aider à comprendre les choses ? Quelqu'un qui est toujours de mon côté, vous voyez ?

Comme vous le savez, on ne peut pas franchement dire que j'ai la cote au collège, alors je prends tout le soutien que je trouve, d'où qu'il vienne. Vous trouvez ça bizarre ? Eh bien, je m'en fiche. J'assume : je n'en mourrai pas. Et j'espère que vous non plus.

Dans le domaine, je vous ai confié bien plus de choses qu'à quiconque auparavant (hormis Leo, naturellement). Vous êtes au courant de l'Opération R.A.F.E. et de mon système de points de récompense débile. Vous connaissez les problèmes que j'ai avec mon futur beauf-père… Oups, je voulais dire futur beau-père. Et, le plus embarrassant, vous savez que j'ai flashé sur Jeanne Galletta. Ce qui est aussi ridicule que sans espoir.

Encore un secret, histoire de vous prouver mon amitié : je ne vais pas sortir avec Jeanne Galletta d'ici la fin de ce livre. Je ne dis pas cela parce que je n'ai pas confiance en moi ou quoi que ce soit. Si je précise, c'est parce que c'est mon livre et que je sais comment il se termine. Alors, si vous êtes du genre à aimer les trucs romantiques et que vous attendez que Jeanne commence à bien m'aimer et tout ça, je vous avertis seulement : ne retenez pas votre souffle. C'est inutile.

D'accord ? Maintenant, vous connaissez tous ces trucs à mon sujet et moi, je ne sais toujours rien de vous. Je ne sais même pas si vous êtes encore là.

Holà ? Y a quelqu'un ?

Si oui, je peux vous faire confiance pour la suite ? La question continue de me turlupiner : vous êtes des gens bien ?

Ce n'est peut-être pas juste de ma part de demander étant donné que moi-même, je n'ai pas encore la réponse à cette question. Disons que vous n'aurez qu'à juger vous-mêmes.

Voici ce que je vous propose : si je ne vous pose pas de problème tel que je suis, alors continuez à lire. Mais si, après ce que vous avez lu, vous pensez que je suis plus nul que le dernier des nuls et que je ne mérite pas d'avoir mon propre livre, alors je vous propose de vous arrêter ici.

Parce que dans les pages qui suivent, les choses ne font qu'empirer. (Ou s'améliorer – question de perspective.)

Signé : votre ami (?),
RK

CHAPiTRe 26

LA VENGEANCE EST UN PLAT QUI SE MANGE FROID

Le lendemain à l'école, j'ai mis notre nouveau plan en action.

Il a fallu attendre la quatrième heure de cours pour que la rumeur se propage. Le midi, il y avait une longue file d'élèves de tous niveaux devant mon casier, venus chercher une canette de Zoom du stock de l'Ours qui n'était plus aussi secret ni aussi grand, surtout, qu'avant.

Au collège de Hills Village, les boissons bourrées de sucre sont interdites ; autrement dit, le Zoom vaut de l'or ici.

J'ai donné pour consigne d'apporter son verre, histoire d'éviter qu'il y ait des canettes qui traînent partout. Un dollar en échange d'un verre plein ou d'un fond de canette, selon ce qui se présentait en premier. Ensuite, je remporterais les boîtes vides à la maison pour les ranger dans leurs casiers et j'attendrais de voir si l'Ours arrivait un jour au fond de sa réserve. (Dans ce cas, j'avais un plan aussi.)

Mes clients ne cessaient de répéter qu'ils trouvaient ça trop cool et de me lancer des « Merci, Rafe », y compris des élèves dont j'ignorais totalement qu'ils connaissaient mon prénom. Je suppose que Miller le Tueur avait raison à propos d'une chose : je commençais à avoir une solide réputation.

Les affaires marchaient bien aussi. J'avais empoché seize dollars (sans oublier 35 000 points) à la fin de la récré de midi. Je n'avais pas remarqué Jeanne Galletta avant qu'elle parvienne à mon casier.

Je répète : JEANNE GALLETTA ÉTAIT À MON CASIER !

— Tu as soif ? lui ai-je demandé en forçant un air décontracté.

— Tu sais que c'est contre le règlement, pas vrai ?

— C'est ce qui le rend meilleur. (Pas mal comme réplique, hein ?)

Jeanne s'est contentée de me regarder, comme maman, parfois, ou même Donatello. On aurait dit qu'elle essayait de me déchiffrer.

— Pourquoi faut-il toujours que tu cherches les ennuis ? a-t-elle dit. Je ne comprends pas.

Ce que j'ai fait après était probablement stupide, mais pour être honnête, je n'ai rien trouvé de mieux.

— Tu peux garder un secret ?

J'ai sorti le règlement du collège et lui ai montré les passages que j'avais déjà barrés.

— Ouais ? Et alors ?

— Je compte faire office de pionnier en enfreignant toutes ces règles les unes après les autres.

— Ah ! Super. Merci pour l'info. Maintenant, je risque aussi d'avoir des ennuis.

— Non, ça c'est mon domaine réservé. Quoi qu'il arrive, je veillerai à ce qu'il n'y ait pas de blessé. Tu peux me dénoncer si tu veux.

Elle m'a fixé, mais son regard n'était pas noir. Disons plutôt qu'il reflétait son indécision.

— Vas-y. Je t'en prie.

Alors, Jeanne Galletta m'a surpris avec un réflexe encore inédit : elle m'a souri. Je sais que ça va paraître tarte-à-la-fraise comme commentaire, mais son sourire débordait de gentillesse. Je pense que Leo avait raison. Elle aimait ma règle « Pas de blessé ».

Évidemment, la stupide sonnerie a retenti et son sourire a disparu plus vite qu'une canette de Zoom devant mon casier.

— Oh là là ! Je vais être en retard en cours de physique.

— Ne t'inquiète pas, lui ai-je répondu.

— Tout le monde n'est pas comme *toi*, a-t-elle rétorqué, agacée.

Je lui disais salut que déjà elle remontait le couloir aussi vite que possible mais sans courir. Rapport – vous savez – au fait que c'est interdit par le règlement et tout.

— Qu'est-ce qui vient de se passer au juste ? ai-je demandé à Leo une fois qu'elle a été partie.

— Là, je n'en suis pas certain mais je pense que tu viens de te rapprocher de la quatrième partie, règle numéro sept.

IL EST INTERDIT DE S'EMBRASSER ou de témoigner toute autre MARQUE D'AFFECTION en PUBLIC dans l'enceinte de l'établissement !

À BAS LE CODE VESTIMENTAIRE

À l'approche d'Halloween, c'était le moment idéal pour s'attaquer à la première partie du règlement, règle numéro un : le code vestimentaire du collège de Hills Village. En temps normal, cela n'aurait pas posé de problème, mais Leo insistait pour que je relève le niveau de difficulté, donc il a instauré toutes sortes de défis et d'occasions pour moi de décrocher des points bonus supplémentaires. Oubliez l'alarme incendie. Oubliez l'heure de colle avec la Femme Dragon. Je m'apprêtais à faire le truc le plus flippant de toute ma vie.

Mais d'abord, le premier défi consistait à quitter la maison sans que maman s'en aperçoive.

— Tu ne te déguises pas, Rafe ? m'a-t-elle demandé au petit-déjeuner.

Georgia mangeait un bol de Cheerios debout
car elle ne pouvait pas s'asseoir : elle avait enfilé
ses grandes ailes roses. Pour ma part, je portais un
simple jeans avec un tee-shirt.

— Tu as déjà passé l'âge d'Halloween ? a voulu
savoir maman.

Je lui ai servi un mensonge-pas-tout-à-fait-
mensonge en retour.

— Je suis au collège cette année.

En vérité, tout était déjà dans mon sac et je
comptais me changer une fois à l'école : chaussures
noires, pantalon noir, pull col roulé noir et masque
de ski noir. Mon sac à dos était bleu marine mais ça
ferait l'affaire. J'avais également une poche pleine
de Cheerios pour les étoiles de ninja et un nunchaku
fabriqué à partir de deux rouleaux de papier toilette,
reliés entre eux par un bout de ficelle. Ç'aurait été
chouette d'avoir aussi une épée, mais essayez un peu
de faire rentrer un manche à balai dans votre sac à
dos : je vous souhaite bonne chance.

Ce ne serait qu'une question de temps avant qu'un
prof me pince donc Leo s'est engagé à me donner
10 000 points en échange de chaque cinquantaine
de mètres parcourus à l'intérieur du collège. Je suis

sorti des toilettes en trombe, j'ai traversé le rez-de-chaussée (+ 10 000 !), monté les escaliers (+ 10 000 !), passé les casiers du premier étage (+ 10 000 !) en lançant des Cheerios, mes nunchakus en folie.

Si une image doit rester gravée dans ma mémoire, ce serait celle de Miller le Tueur dans le couloir. Je me suis assuré que mon masque couvrait bien mon visage, puis j'ai accéléré en le dépassant et je lui ai donné un coup sur la tête avec le nunchaku (+ 10 000 !).

— Qu… ?

Miller s'est retourné du mauvais côté juste au moment où je filais. Lorsque, enfin, il a pigé d'où je venais et où j'allais, je l'avais déjà planté sur place dans un nuage de poussière. Il était peut-être deux fois plus grand que moi, mais j'étais deux fois plus rapide. Prends ça, Miller !

Quand tout à coup… bam ! Je suis littéralement rentré de plein fouet dans Mme Stricker.

Disons seulement qu'elle n'était pas d'humeur à un match de catch.

— Mais qu'est-ce que c'est que ça ?

Elle m'a empoigné le bras.

— Je suis un ninja.

— Tu es un nigaud, oui ! Enlève-moi ce masque immédiatement.

Je lui ai obéi.

— Rafe. J'aurais dû m'en douter. Tu n'as absolument pas le droit de courir partout dans l'établissement vêtu d'un tel déguisement.

— Il n'y a pas de règle contre les ninjas. Et croyez-moi : j'ai vérifié.

— Considère que c'est une nouvelle règle, a rétorqué Stricker. Pas de ninja, que ce soit pour

Halloween ou autre. Il va falloir que tu retires ça.

— D'accord, d'accord, ai-je consenti comme si c'était la fin du monde alors qu'en réalité, c'est ce que j'attendais.

Phase deux : les points comptent double.

J'ai filé aux toilettes et en suis ressorti une minute plus tard sans mon costume de ninja mais en fonçant aussi vite que la première fois.

— RAFE KHATCHADORIAN ! s'est égosillée Stricker.

Trop tard : on ne pouvait plus m'arrêter.

Certains élèves se sont écartés sur mon passage. D'autres sont même partis à toutes jambes dans la direction inverse. Une poignée de filles se sont mises à hurler en me voyant approcher, mais je crois qu'elles exagéraient. Il y en a même qui ont crié des trucs comme : « Vas-y, Rafe, allez ! » Et des : « Te laisse pas faire ! Échappe-toi ! »

Parce que, comme je vous l'ai expliqué, je ne portais plus mon costume de ninja. D'ailleurs, je ne portais plus grand-chose finalement.

Des baskets, un caleçon et un grand sourire aux lèvres.

CHAPITRE 28

ON SE LA COULE DOUCE AU CACHOT

J'aurais juré que j'allais finir dans le bureau de Stricker cette fois alors qu'en réalité, je n'avais pas vu assez grand. Mesdames et messieurs, bienvenue au : CACHOT.

Je ne suis pas le seul dont l'exécution est prévue aujourd'hui. C'est Halloween après tout, et le cachot regorge donc de gens qui attendent de découvrir quelle torture on leur réserve.

— Hé, me murmure le prisonnier près de moi. Tu ne serais pas Rafe Khatchadorian, par hasard ?

J'ai déjà vu son visage quelque part mais son nom m'échappe.

— Si.

— J'ai entendu parler de toi. Tu as fait quoi, cette fois ?

— Je n'ai pas respecté le code vestimentaire.

Le mec n'a pas l'air franchement impressionné.

— SILENCE ! tonitrue un des gardes. Le premier qui parle, on l'exécute !

Je suis sur le point de demander quelle est la différence étant donné qu'on est tous déjà condamnés à mort de toute manière mais à cet instant précis, la porte du cachot s'ouvre à la volée. Mon heure a sonné. Ils évacuent le corps de la dernière victime tandis que le roi Lézard me fait signe d'avancer avec son long doigt vert visqueux.

CHAPiTRe 29

SA MAJESTÉ LE ROI LÉZARD

La caverne est froide et humide.
Le roi Lézard reprend place sur
son siège, face à l'endroit où je suis
censé m'asseoir. Ça sent…
je-ne-sais-trop-quoi
là-dedans.

Il enlève le couvercle d'un bocal rempli de ce qui ressemble à des bonbons en forme de haricots blancs et me le tend.

— Vous en voulez un ? me propose-t-il.

C'est alors que je me rends compte que ce ne sont pas des bonbons parce qu'ils bougent.

— Non merci.

Après un haussement d'épaules, il en jette deux dans sa bouche. Pendant qu'il mâche, un filet bleu se met à couler sur son menton.

— Vous semblez vous être forgé une sacrée réputation de par le Royaume. Mes espions parlent de vous comme d'un « joyeux luron ».

Une mouche se pose sur le mur et il déroule sa langue sur une longueur d'un mètre pour l'attraper. Je vous le dis : le type n'arrête jamais de manger.

— Avez-vous quelque chose à dire pour votre défense avant que je proclame votre sentence ? me demande-t-il, la mouche en bouche.

— Je pense que vous me confondez avec mon frère jumeau.

Mauvaise réponse. Le roi Lézard se penche vers moi et m'écrase sa paume (à moins qu'il s'agisse de sa plante de pied) sur le visage. Quoi qu'il en soit, c'est à mi-chemin entre le Velcro et la Super Glu. Il m'attrape par la tête et me jette contre le mur, me coupant la respiration. Tant mieux, quelque part, car son haleine empeste !

— Vous êtes reconnu coupable des accusations pesant contre vous ! me dit-il.

Alors, il me lâche et je m'écroule par terre tel un bloc de béton.

Le roi Lézard grimpe au mur, puis court au plafond où il reste accroché à l'envers, prêt à m'annoncer ma condamnation.

— Trois heures dans la chambre de colle avec la Femme Dragon ! hurle-t-il. Jusqu'à ce que mort s'ensuive !

ET ALOOOOORS ?

—Rafe, tu m'écoutes ?

J'ai levé les yeux sur M. Dwight et confirmé d'un signe de tête.

— Il va falloir te ressaisir, jeune homme. Si tu continues ainsi, tu t'exposes à pire que des heures de retenue. C'est bien compris ?

Je savais que je ne m'en sortirais pas en baratinant cette fois-ci, alors je n'ai pas pris la peine d'essayer.

— Oui, ai-je confirmé avant de me lever pour partir.

Au moins, mon trajet jusqu'au bureau du directeur m'avait rapporté 30 000 points. Côté points, j'avais eu une très bonne journée. Côté Femme Dragon ? J'avais l'impression d'être déjà mort.

Après avoir quitté le bureau, devinez qui fut la première personne à venir à ma rencontre dans le couloir. (Je vous donne un indice : ce n'est pas qui vous croyez et son nom rime avec Beanie Balletta.)

— Qu'est-ce qui t'a pris ? m'a lancé Jeanne.

— J'ai chopé trois heures de colle avec Donatello.

— Ce n'est pas la question. Quelle mouche t'a piqué pour que tu te trimballes en sous-vêtements dans l'école ? Ton histoire d'infraction au règlement et tout commence à devenir franchement… ridicule.

— Tu as raison. C'est débile.

J'ignorais pourquoi Jeanne était venue me parler. N'empêche, elle n'est pas partie alors j'ai continué :

— Pas de chapeau ? Pas de lunettes de soleil ? Pas de pantalon trop grand ni de short trop petit ? Tu crois vraiment que ces règles contribuent à rendre l'ambiance meilleure au collège ?

— Je n'y peux rien, moi.

— Pourtant, c'est exactement ce que tu as promis dans ton discours pour les élections du conseil des élèves. Tu as parlé d'améliorer la vie des élèves, tu te rappelles ?

— Oui, mais…

Elle m'a subitement couvé d'un regard sérieux, comme si elle venait de penser à quelque chose.

— Ça remonte à deux mois tout ça. Et tu t'en souviens ?

117

Olavache. Triple vache ! Avouer un truc pareil à
une fille qui préférerait sortir avec un extincteur
plutôt qu'avec moi était encore plus gênant que le
fait qu'elle m'ait vu piquer un sprint en caleçon.

Et je n'étais pas au bout de mes peines. Lorsque j'ai
rouvert la bouche, voici à peu près ce qui en est sorti :

— Ben… euh… tu sais. Ce n'est pas comme…
enfin, tu vois. C'est juste que… enfin… ouais. Bon…
je ferais mieux de… ben… d'y aller.

Alors, je me suis exécuté pour filer tout droit
vers… le musée Grévin des Crétins.

Un de ces jours, j'aurai une
conversation normale, sans mourir de
honte, sans faux pas, en restant moi-
même avec Jeanne Galletta.

Seulement, ce jour n'était pas
encore venu.

DÎNER POUR TROIS
AU *SWIFTY'S*

Le 2 novembre est un bon jour. C'est l'anniversaire de maman et cette année, elle a dit que tout ce qu'elle voulait, c'était qu'on vienne dîner chez *Swifty's* pendant son service.

Enfin, Georgia n'a pas pu s'empêcher de lui faire un dessin (youpiiii !) et moi, j'ai dépensé presque tout l'argent de la vente de Zoom pour lui acheter une carte et une bouteille du parfum qu'elle aime bien. On a posé les cadeaux sur la table afin qu'elle les voie lorsqu'elle viendrait prendre notre commande.

C'est chouette de manger chez *Swifty's*. En général, je commande le hamburger avec la double portion de frites ou, parfois, le sandwich à la dinde avec de la purée et plein de sauce. Et en dessert, presque toujours la tarte aux pommes avec de la glace et une double dose de cannelle.

L'autre raison pour laquelle j'aime aller chez
Swifty's, c'est parce que les toiles de maman sont en
vente, au mur. Elle n'a plus trop le temps de peindre
en ce moment, vu qu'elle travaille sans arrêt, mais
moi, je pense qu'elle a beaucoup de talent comme
artiste (même si son style est un peu *space*).

Aucun des tableaux de maman n'a de titre.
D'après elle, il faut les regarder et décider soi-même
ce qu'ils évoquent au fond de soi. Personnellement,
je suis simplement content quand elle en vend un.
Cela n'arrive pas souvent, mais dans ces cas-là,
ce sont de bonnes journées aussi.

Maman est arrivée à notre table avec le sourire en apercevant les cadeaux qu'on lui avait apportés mais j'ai su tout de suite que quelque chose clochait.

— N'attendez pas pour commander, les enfants, a-t-elle dit. Carl a appelé pour dire qu'il ne pouvait pas venir. Il avait d'autres impératifs...

— Le jour de ton anniversaire ? ai-je relevé.

J'aurais mieux fait de m'abstenir. Maman affichait une pseudo-expression d'indifférence mais elle est artiste, pas actrice, si vous voyez ce que je veux dire.

— C'est bien aussi, juste nous trois. En plus, maintenant, vous pouvez commander ce que vous voulez. Même le steak.

Avec l'Ours, on ne pouvait pas dépasser les dix dollars parce qu'il mangeait tellement que c'était au-dessus des moyens de maman. Plutôt nul, je sais !

— Alors un steak, s'il te plaît, ai-je demandé.

— Un steak à point avec une grande portion de frites, a récapitulé maman en écrivant la commande sur son carnet, avec de nouveau le sourire aux lèvres. Et toi, Georgia chérie ?

— Rafe s'est baladé tout nu à l'école !

C'est sorti comme ça. Avec Georgia, les secrets sont un peu comme des bombes à retardement : on ne sait jamais quand ils vont exploser.

— Quoi ? s'est étranglée maman.

— La ferme ! C'est n'importe quoi, ai-je menti.

— Gracie m'a raconté que Miranda Piccolino lui a dit que son frère lui a dit que tu avais couru comme ça dans tout le collège.

— Je n'étais pas tout nu ! me suis-je écrié.

Au cas où vous ne l'auriez pas deviné, ce n'est pas le genre de choses qu'on a envie de hurler en plein milieu d'un resto bondé. J'ai eu l'impression que tous les yeux se tournaient vers moi. Ce qui n'était probablement pas une impression.

Maman me dévisageait elle aussi. Figée. Une vraie statue.

— C'était juste un truc pour Halloween.

— Gracie a dit que Miranda lui a dit que son frère a dit que tu étais... AÏE !

Ça, c'était moi qui venais de flanquer un coup de pied à Georgia sous la table. Et ensuite...

— OUIIIIINNNNN !

Ça, c'était Georgia, alias le singe hurleur simulant une crise de larmes, la grosse menteuse.

122

Après, le pire s'est produit. J'ai levé à nouveau les yeux sur maman. Elle n'avait toujours pas bougé mais une larme roulait sur sa joue. Alors, elle s'est retournée et elle est repartie dans la pièce du fond sans dire un mot.

— Tu vois ce que tu as fait ? ai-je lancé à ma sœur. Bravo !

— Ce n'est pas moi qui me suis trimballée toute NUE ! a-t-elle crié, des fois que des clients, sur le parking du resto, n'aient pas entendu la première fois.

Sauf que je m'en fichais maintenant. Je m'étais levé pour suivre maman.

PAUV'TYPE

—**M**aman ?

— Ça va, a-t-elle aussitôt répondu.

Elle s'était assise sur un grand bac en plastique blanc, rempli de paquets de chips à l'aneth, dans la réserve. Ils y gardent des boîtes géantes de tous les trucs qui figurent au menu. Si jamais vous restiez enfermés dans cette pièce, jamais vous ne mourriez de faim.

— Je ne voulais pas te faire pleurer.

— Viens ici, Rafe.

Elle a donné une tape sur le bac vide à côté du sien juste comme Swifty passait sa tête par l'entrebâillement de la porte. (En vérité, il s'appelle Fred mais il y avait déjà un restaurant baptisé *Fred's Diner*, à l'autre bout de la ville.)

— Julia, je ne veux pas jouer les rabat-joie, mais

il y a du boulot de ce côté-ci.

— J'arrive tout de suite. Promis.

Super ! Maintenant, on était trois à embêter maman : l'Ours, Swifty et moi. Pas le genre de liste sur laquelle je voulais figurer.

— Nous n'avons jamais terminé notre discussion à propos de Leonardo, a repris maman. Je veux que tu saches que je sais que tu lui reparles.

— Je ne suis pas obligé. Je peux arrêter.

— Non, chéri. J'ai bien réfléchi et nous parlons tous à des gens qui ne sont pas là, en permanence, que ce soit avec les textos, les ordinateurs ou même sur des répondeurs. Les artistes s'adressent à leurs muses pour trouver de l'inspiration. Certaines personnes vont carrément jusqu'à se parler à elles-mêmes.

— C'est vrai, ai-je acquiescé.

Parfois, j'entendais maman dans le garage lorsqu'elle peignait alors qu'elle était toute seule.

— Donc pourquoi ne pourrais-tu pas discuter avec Leo si tu en as envie ? En outre, ce n'est pas Leo qui m'inquiète. C'est toi.

— Je vais bien.

— Vraiment ? (Elle m'a lancé un regard dont elle seule a le secret.) Mon lapin, tu as eu tellement d'ennuis à l'école ces temps-ci. Je n'y comprends rien. Je sais que cela n'a pas été une année facile et que je n'ai pas beaucoup été à la maison, mais… mais…

Là, elle s'est remise à pleurer.

Le jour de son anniversaire.

À cause de moi.

Je ne me suis jamais senti aussi minable qu'à cet instant précis. Un pauv'type, une lavette, tout juste bonne à laver les tables du resto. Question héros dans la catégorie « quelqu'un de bien », c'était râpé.

PLEUREUX ANNIVERSAIRE, MAMAN

de la part de ton pauv'type préféré…

Puanteur à la RAFE

SI DUR QUE ÇA ?

Après ce qui s'était passé ce soir-là, je savais
que je devais interrompre mon jeu. Plus
d'infraction volontaire au règlement. Plus
d'Opération R.A.F.E. pour l'instant. Pas de vente de
Zoom ni de bagarre avec l'Ours non plus. Si j'étais
incapable d'être quelqu'un de bien, je pourrais
au moins essayer de me comporter en personne
normale pour un temps. C'est vrai, cela ne pouvait
pas être si dur que ça, si ?

— Tu vas le regretter, m'a averti Leo. En plus,
Julia ne veut pas que tu sois normal. Elle veut que
tu sois toi-même. Elle ne te l'a pas assez répété ?

— Eh bien, le vrai moi a fait pleurer sa mère
ce soir alors je vais me la jouer profil bas pendant
un moment, c'est tout. Jusqu'à ce que les choses
se tassent.

— Bien sûr, a répliqué Leo, dès que tu auras gagné au loto, que Julia sera devenue une artiste célèbre, que Georgia aura subi une greffe de personnalité et que l'Ours, frappé d'amnésie, sera incapable de retrouver le chemin de la maison. Oublie ça, mec. Tu vis dans un monde imaginaire.

— Tu peux parler !

— Justement. Et qu'est-ce que je suis censé faire pendant que tu joues les Messieurs Normaux ?

— Je n'en sais rien, moi. À quoi les personnages imaginaires occupent-ils leur temps libre ? (Leo a bâillé.) Et puis, ce n'est pas comme si je m'en allais. Tu pourras toujours me parler. On ne jouera plus à l'Opération, c'est tout.

— Mais on n'en était qu'au début, a-t-il protesté. Tu ne peux pas abandonner maintenant.

— Je n'abandonne pas. J'ai demandé un temps mort.

— Qui va durer… ?

— Aucune idée. Il va falloir être patient, OK ? Leo, pourtant, est resté silencieux.

— D'accord ?

Toujours rien.

— Leo ?

Ma chambre semblait soudain très... vide. Je n'avais encore jamais vu Leo fâché mais je devinais que c'était ce qui se passait.

Leo Sans Paroles avait décidé de ne plus m'adresser la parole.

NORMAL

Le jour suivant, à l'école, n'a pas été aussi terrible que je l'avais imaginé. Je me suis concentré sur ce que les bons élèves font de « bien » afin de les imiter. (En partie, en tout cas.) Je suis arrivé à l'heure en classe ; j'ai levé la main lorsque je pensais connaître la réponse, même si souvent, je me trompais ; et j'ai averti ma clientèle friande de Zoom que je fermais boutique jusqu'à nouvel ordre.

En cours d'anglais avec Donatello, je me suis porté volontaire pour distribuer les feuilles d'énoncé avec les instructions du jour. Elle m'a dévisagé comme si jamais un truc aussi bizarre ne lui était arrivé.

— Tu cherches à me passer de la pommade avant ta prochaine heure de colle ? Si oui, je peux t'assurer que ça marche. Merci, Rafe.

J'ai répondu d'un simple : « De rien ».

De la pommade en plus ? C'était bonus !

Et en parlant de bonus, Jeanne Galletta m'a souri lorsque je lui ai tendu sa photocopie. Je l'avais évitée depuis toute cette histoire de sous-vêtements à Halloween, alors cela m'a surpris qu'elle me sourie de cette façon. Peut-être cela avait-il un rapport avec le fait que j'étais normal, pour changer.

Visiblement, les seules personnes à qui je ne plaisais pas lorsque j'agissais ainsi étaient Leo (pas un scoop) et Allison Prouty dont les regards trahissaient sa crainte que je lui pique sa place de lécheuse de bottes de première.

La leçon d'anglais portait sur le vocabulaire. Le thème, c'était les notions abstraites ou « les choses qui ne sont pas des choses », selon la définition de Donatello. Dans la liste figuraient des mots tels que « satisfaction », « prospérité », « courage », « immensité », etc. On était censés travailler en groupe afin de trouver des images qui représentaient ce que les mots signifiaient pour nous.

Malheureusement, je n'étais pas dans le groupe de Jeanne mais je continuais à me comporter en Rafe normal, donc j'ai proposé d'être le rapporteur du groupe. Matt Baumgarten et Melinda Truitt ont imprimé des photos sur Internet et Chance Freeman a feuilleté une pile de magazines que la prof avait mis à notre disposition. J'ai découpé les images qu'ils avaient trouvées et ai tout rassemblé dans un collage. J'ai veillé à ce que les bords s'emboîtent comme les pièces d'un puzzle et rajouté les mots de vocabulaire en découpant des lettres dans les magazines.

Lorsque la prof est passée dans la classe pour examiner le travail des élèves, elle s'est arrêtée pour observer le nôtre un bon moment.

— C'est très créatif, a-t-elle dit. Très bio.

Tout ce que je connais des trucs bio se résume au yaourt nature dégoûtant que maman garde au frigo à la maison mais je suis presque sûr que dans la bouche de Donatello, c'était positif. Personne dans mon groupe n'a précisé que l'idée venait de moi mais cela m'était égal. Je savais qu'elle s'adressait à moi.

Alors c'était ça, la vie normale ! Ce n'était clairement pas aussi amusant que l'Opération R.A.F.E., mais si cela suffisait à rendre maman heureuse et à la convaincre de me laisser tranquille, cela valait le coup.

Dommage que cela n'ait duré qu'une journée.

CHAPITRE 35

MILLER FRAPPE ENCORE

Si vous avez lu avec attention cette histoire, vous avez dû remarquer une sorte de cercle vicieux qui revient tout le temps dans ma vie. Et c'est toujours lorsque les choses semblent s'arranger… bla bla bla.

Donc, j'étais de retour à mon casier, plutôt satisfait de la manière dont s'était déroulée la journée, prêt à rentrer chez moi. Je tenais la moitié de mes affaires en main et l'autre était dans mon sac à dos quand je me suis retourné en plein dans l'armoire à glace qui porte le nom de Miller. (À l'avenir, lorsqu'il sera possible d'avoir une paire d'yeux supplémentaires à l'arrière de la tête, je serai le premier candidat sur la liste.)

Il m'a barré la route d'une jambe et m'a poussé dos au mur. Je me suis écroulé, et toutes mes affaires avec moi.

— Fais gaffe, a-t-il dit. Il ne faudrait pas te casser un truc en tombant.

— Ah ouais ! Tu as le QI d'Einstein, ma parole.

— Exact, a-t-il répliqué le plus sérieusement du monde. Prêt pour la rencontre ?

— Quelle rencontre ?

— Mon poing et ton visage, a-t-il expliqué, un doigt pointé vers la sortie. Allez, qu'on en finisse une bonne fois pour toutes, pauv'mec.

Je commençais à être fatigué de tout ça. Très fatigué.

Dangereusement fatigué, même.

— Écoute, Miller, ai-je commencé. Je te l'ai déjà dit : je n'essaie pas de prouver quoi que ce soit et même si c'était le cas avant, c'est terminé maintenant, OK ? Alors, lâche-moi.

Seulement, il ne m'écoutait pas.

— C'est quoi, ce truc ?

Il s'est plié en deux pour ramasser quelque chose par terre. Mon cahier Opération R.A.F.E. ! Je ne m'étais même pas rendu compte qu'il était

tombé de mon sac.

— C'est rien. Rends-moi ça.

Miller l'avait déjà ouvert à la première page.

— Opération R.A.F.E. ? T'as quel âge, m'a-t-il provoqué. Six ans ?

— Je t'ai dit que ce n'était rien.

J'ai tendu la main mais il s'est écarté.

— Si ce n'est rien, pourquoi t'as l'air d'être sur le point de pisser dans ton froc ?

Comment avais-je pu en arriver là ? Alors que c'était censé être le premier jour dans l'histoire de ma vie normale, on basculait soudain dans Mon Pire Cauchemar, treizième partie.

Miller feuilletait les pages, lisant tout ce que j'avais écrit, un sourire jusqu'aux oreilles comme s'il venait de tomber sur un porte-monnaie plein à craquer.

C'est alors que j'ai pigé. Miller le Tueur venait d'avoir une idée. Cela se voyait sur son visage. C'était comme regarder un homme des cavernes se mettre debout pour la première fois.

— Tiens ! (Il a déchiré la page de garde du cahier et me l'a rendue.) Ça, c'est gratuit. Pour le reste, ce sera un dollar.

Qu'allais-je faire ? Le descendre à coups d'entaille avec un bout de papier ?

— Soit. (J'ai sorti un des deux dollars que j'avais en poche.) Tiens. Maintenant, donne-moi le reste.

Sauf qu'il s'est contenté de détacher la première page pour me la tendre.

— Hein ? a-t-il rétorqué. Tu croyais que c'était un dollar pour le tout ? Tu me prends pour un crétin ou quoi ?

Attention, attention ! Ne répondre à cette question sous aucun prétexte. Je répète : ne pas répondre !

— Allez, Miller, ai-je dit pour éluder la question.

— Allez, Miller, a-t-il répété d'une petite voix aiguë pour m'imiter.

— Je n'ai pas assez d'argent pour tout le cahier.

Il était presque rempli et il devait y avoir soixante-dix pages et des poussières, là-dedans.

Miller a simplement haussé les épaules, a plié le cahier en deux et l'a calé sous son bras.

— Prends ton temps. (Il s'est éloigné.) Un dollar la page, Khatchadorian. Sauf inflation, ce qui n'est pas du tout impossible.

Personnellement, j'avais l'impression de la subir déjà, l'inflation. Adieu, jours normaux.

CHAPITRE 36

ET MAINTENANT, QUOI ?

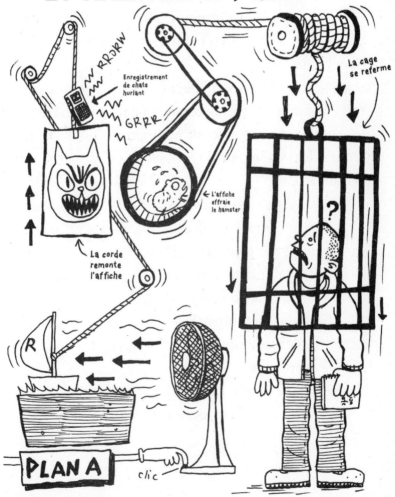

J'ai passé tout l'après-midi à réfléchir à un moyen de contrer Miller.

Toutes mes idées étaient aussi géniales les unes que les autres, si l'on faisait abstraction d'un petit détail : elles étaient irréalisables.

Quant à la perspective de laisser Miller garder mon cahier, c'était hors de question. C'est vrai, si maman avait eu cette réaction après l'épisode d'Halloween, je n'osais pas imaginer ce qu'elle ferait si elle apprenait l'existence de toute cette Opération R.A.F.E...

Je devais me rendre à l'évidence : Miller me tenait et j'allais passer le reste de l'année à racheter une par une les pages de ce cahier débile.

Cela signifiait qu'il fallait que je trouve un moyen de gagner de l'argent tout de suite. À ma connaissance, la seule solution avait la forme d'une pile de canettes aux couleurs vives, dans le garage.

— Oui ! s'est aussitôt écrié Leo en entendant mon idée. C'est exactement ce dont je veux parler !

— Te revoilà.

— Je ne suis jamais parti, a-t-il avoué. J'attendais juste qu'il se passe un truc intéressant. Oh, à propos, tu as perdu ta deuxième vie lorsque Miller t'a piqué ton cahier. Il ne t'en reste plus qu'une. Il va falloir faire super gaffe.

— C'est le cadet de mes soucis pour l'instant. Tout ce que je veux, c'est mon cahier.

— Eh bien alors, qu'est-ce que tu attends ? Vas-y.

— D'accord. (Je suis sorti en direction du garage.) Mais je vends seulement le Zoom, je ne recommence pas le jeu.

— On verra.

CHAPITRE 37

TÉFOUTU

Je m'occupais de mes affaires en volant quelques paquets de six canettes de Zoom dans le garage lorsque devinez qui m'a suivi sur la pointe de ses petits pieds d'espionne ?

— Qu'est-ce que tu fabriques ici ? m'a interrogé Georgia. Un truc louche, je suis sûre. Tu comptes prendre ces canettes ? Pourquoi ?

— Ferme la porte !

Je savais que ce serait plus rapide que d'essayer de la faire s'en aller.

— L'Ours va te tuer, m'a-t-elle prévenu.

— Pas s'il ne s'en aperçoit pas. (J'ai mis un autre pack de six canettes dans mon sac à dos, puis je me suis approché tout près de ma sœur afin de plonger mes yeux dans les siens.) OK ?

Elle a tenté d'éviter mon regard.

— Pourquoi tu emmènes tout ça ?

— Et toi, pourquoi tu prends sa défense ?

— N'importe quoi ! s'est-elle empressée de nier.

J'avais deviné que ça l'énerverait : elle déteste l'Ours autant que moi.

— Écoute : chaque fois que je viendrai en chercher, j'en mettrai une de côté pour toi aussi. On pourra la boire quand l'Ours dort et que maman n'est pas là.

Elle m'a d'abord jeté un coup d'œil avant de considérer le stock de Zoom, sous l'établi, puis de se reconcentrer sur moi.

— Ce n'est pas la première fois que tu fais ça, pas vrai ?

— Tu en veux, oui ou non ? lui ai-je lancé, une canette sous son nez.

Le truc, c'est que Georgia aime le soda encore plus que les secrets, mais que maman nous laisse rarement en boire.

— Et s'ils s'en aperçoivent ? s'est-elle inquiétée.

— Ça n'arrivera pas. Pas si on la boucle.

— D'accord.

— *Même* sous la torture !

— OK, c'est bon, a-t-elle promis, les yeux posés sur la canette.

Je l'ai saisie par les épaules pour la faire s'asseoir sur un vieux cageot de bouteilles de lait.

— Pour maman. Tu me le jures ?

— Je te le jure, je te le jure. Juré craché.

En dépit de toutes ses promesses, je n'avais aucune garantie. Pas avec Georgia, seulement c'était trop tard. J'étais foutu : elle avait découvert le pot aux roses et je n'avais pas trouvé mieux comme stratégie pour acheter son silence.

C'était un risque à prendre.

CHAPiTRe 38

PASSAGE À VIDE

Si vous voulez mon avis, je vous dirais que l'une des périodes de l'année que je déteste le plus, c'est entre Halloween et Thanksgiving[1]. Il s'est écoulé assez de temps pour avoir goûté à l'Enfer, à proprement parler, de l'école mais les vacances de Noël sont encore loin et les semaines s'écoulent à la vitesse d'un escargot.

C'est également à cette époque qu'on passe à l'heure d'hiver ; du coup, quand vous partez à l'école le matin, il fait noir et à votre retour, l'après-midi, la nuit a déjà commencé à tomber.

Du noir, du noir, encore du noir… C'était comme ça que je voyais la vie, ces jours-ci.

En arrivant en colle, le premier mercredi, avec Donatello, je me suis aperçu qu'elle avait recommencé comme la dernière fois : j'allais encore

---

1. Fête de l'Action de Grâce en hommage aux Pères pèlerins, fixée au quatrième jeudi du mois de novembre aux États-Unis. *(Toutes les notes sont de la traductrice.)*

me retrouver en tête à tête avec la Femme Dragon pendant toute l'heure.

En conclusion : j'allais finir en casse-croûte pour dragon.

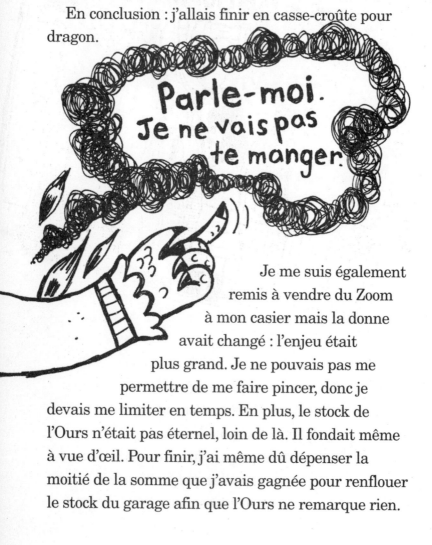

Parle-moi. Je ne vais pas te manger.

Je me suis également remis à vendre du Zoom à mon casier mais la donne avait changé : l'enjeu était plus grand. Je ne pouvais pas me permettre de me faire pincer, donc je devais me limiter en temps. En plus, le stock de l'Ours n'était pas éternel, loin de là. Il fondait même à vue d'œil. Pour finir, j'ai même dû dépenser la moitié de la somme que j'avais gagnée pour renflouer le stock du garage afin que l'Ours ne remarque rien.

De retour en retenue, je me suis efforcé au mieux d'empêcher Donatello de trancher ma cervelle en minuscules rondelles. Plus facile à dire qu'à faire. Elle voulait absolument que je lui parle de moi tandis que je persistais à lui rappeler que j'avais des devoirs. Parfois, cela marchait ; d'autres, non.

Il ne fallait pas oublier Miller. On aurait pu croire qu'il m'aurait au moins respecté pour cette histoire d'infraction au règlement au complet alors que pas du tout. Tout ce qu'il y voyait, c'était que j'essayais d'être un délinquant plus gros que lui. Bonjour le parano. J'ai dû lui annoncer à l'avance le nombre de pages que je voulais acheter et il est venu au rendez-vous avec le compte juste, pas une de plus.

Je ne suis pas allé bien loin. Vu la vitesse à laquelle je devais racheter des canettes pour l'Ours, je n'avais réussi à payer que dix-huit pages avant Thanksgiving.

Le pire, c'était que je continuais à essayer de jouer les Rafe normaux pour ne pas m'attirer à nouveau des ennuis. Cela marchait, je suppose, mais je ne m'améliorais pas en classe pour autant et je haïssais avec la même force ce que j'apprenais au collège. J'avais imaginé qu'être une personne normale me donnerait une meilleure opinion de moi-même alors que jusqu'ici, pas du tout.

Mais le plus drôle, c'est que malgré ce passage à vide, personne ne semblait remarquer comment je me sentais. Pour maman, Jeanne et Donatello, j'étais déjà passé à autre chose.

Et si vous vous inquiétez au sujet de Leo, disons seulement que selon lui, j'avais récolté la monnaie exacte de ma pièce.

CHAPITRE 39

JEANNE, JEANNE, JEANNE

— **N**e crois pas que je n'ai rien remarqué, m'a provoqué Jeanne, le lundi qui précédait Thanksgiving.

Je me suis retourné, le visage trempé d'eau de la fontaine. En apparence, je lui faisais face, impassible mais au fond de moi, je pensais : NOMDEZEUSC'ESTJEANNEVAS-YRAFETUPEU XLEFAIREGARDETONCALMEETÉVITELESBOU RDES !

— Tu te plies aux règles maintenant, a-t-elle développé dans un murmure, sur un ton de connivence, comme si on partageait un secret (ce qui, en un sens, était vrai).

C'était l'une des seules personnes au courant de l'Opération R.A.F.E.

— C'est temporaire. J'ai décidé d'agir comme

quelqu'un de normal.

— Ouais. J'avais remarqué. J'ai une question : tu
fais quoi après l'école, mercredi ?

— Rien, ai-je répondu en une fraction de seconde.

— Plutôt rapide comme réponse. Tu en es sûr ?

— Certain.

Pincez-moi-je-devais-rêver. Pourtant, je ne
pouvais m'empêcher de songer que l'impossible,
peut-être, était sur le point de se produire. Jeanne
Galletta s'apprêtait-elle véritablement à me
demander de sortir avec elle ?

— Ah, super, a-t-elle repris, parce que le conseil des élèves organise une levée de fonds au Duper Market. On tente de récolter de l'argent pour une famille qui n'a pas les moyens de célébrer Thanksgiving. On va vendre des biscuits et des tartes, et les gens pourront aussi faire des dons de nourriture. Tous les bénévoles sont les bienvenus.

— Oh, ai-je dit. Eh bien… euh… c'est d'accord. Ça m'a l'air d'être une bonne cause.

Qu'aurais-je pu dire d'autre ?

— Génial ! Trois heures et demie, mercredi. Et si tu peux demander à ton père ou ta mère de préparer quelque chose pour la vente de gâteaux, ce serait sensas'.

— Aucun problème. Ma mère est spécialiste des tartes pommes-cannelle. Elles sont trop bonnes. J'en apporterai une.

— Merci, Rafe. C'est super gentil. (Alors, elle s'est penchée vers moi et m'a chuchoté à l'oreille :) C'est comme ça que je t'aime. Et ne t'inquiète pas : ton secret est en sécurité avec moi.

Avant que j'aie eu le temps d'ajouter ou de faire quoi que ce soit qui puisse tout gâcher, elle s'est éloignée. Et là, j'ai pensé...

Hummmmm...

CHAPITRE 40

LE PLUS À PLAINDRE

C'était une première. Personne dans l'histoire de la vie de Rafe Khatchadorian ne m'avait demandé de l'aide pour une œuvre caritative. Lorsque j'en ai parlé à maman, elle a trouvé l'idée géniale et a convaincu Swifty sans aucun problème de faire don d'une des tartes du resto. Je me suis donc présenté au Duper Market avec la tarte, le mercredi après-midi.

— Rafe ! Tu es venu ! s'est réjouie Jeanne.

Dans tout ce tumulte, on aurait dit la reine des abeilles. Une grande table avait été dressée, dehors, avec les gâteaux en vente, près d'une grande corbeille où les gens sortant du marché pouvaient déposer la nourriture qu'ils souhaitaient donner. Un bocal, sur lequel était marqué « MERCI », trônait également au centre de la table.

— Et voici la suite, ai-je annoncé avant d'y déposer les dix dollars que je n'aurais jamais dû dépenser : c'était toute ma récolte de la semaine grâce à la vente du Zoom.

— Ouah ! (Jeanne, apparemment impressionnée, a ouvert de grands yeux et mon cœur s'est un peu emballé. OK, un peu beaucoup.) On essaie d'informer les habitants du quartier au sujet de la vente. On a fait des pancartes et on distribue des prospectus à tous les passants. Tu crois que tu pourrais… ?

— Je m'en occupe.

— Super ! (Elle a pris un truc sous la table qui ressemblait à dix kilos de fourrure orange.) C'est le lycée qui nous l'a prêté. Ce sera sûrement trop grand mais tu devrais pouvoir le porter quand même.

C'était le déguisement de la mascotte du collège de Hills Village : un faucon orange avec de longues ailes, un bec jaune géant et une cape bleue de superhéros.

— Cela devrait attirer l'attention des gens, a commenté Jeanne.

— Tu plaisantes, là ? (D'un simple coup d'œil à son visage, j'ai compris que non.) Je veux dire, euh… pas de problème. Pour une œuvre caritative, je ferais n'importe quoi.

— Merci, Rafe. C'est toi le meilleur.

Je me suis forcé à sourire.

Heureusement que le déguisement dissimulait mon visage parce que mon teint a viré au rouge pompier après l'avoir enfilé. En traversant le parking du Duper Market, j'étais persuadé que les gens riaient de moi beaucoup plus qu'avec moi. Surtout étant donné que pour ma part, je ne riais pas. Pas même du bout des lèvres.

Mais je vais vous avouer autre chose : une fois lancé, sur le trottoir, alors que je me rendais compte que personne ne pouvait me reconnaître (comme lorsque j'étais ninja), je me suis senti dans le trip.

Battant des ailes, je sautais avec ma pancarte, distribuant çà et là des prospectus avant de donner une tape dans le dos aux passants qui les acceptaient. Des automobilistes me klaxonnaient sur leur passage, certains s'arrêtant même à hauteur de la table que je leur indiquais. Croyez-moi, je vous le dis, j'étais devenu la meilleure mascotte de vente de gâteaux de tous les temps.

Et ne pensez pas que Jeanne ne s'en est pas aperçue. Au contraire.

— Tu as été formidable, m'a-t-elle complimenté

à la fin. Merci encore, Rafe.

L'idée qu'elle me trouve formidable me plaisait. Et elle était contagieuse. Non seulement Jeanne Galletta me souriait de toutes ses dents mais j'avais aussi passé l'après-midi à faire ce que font les gens bien (et pas uniquement normaux). C'est peut-être là que j'ai puisé la force de sortir la réplique suivante.

— Ça te dit qu'on aille manger une pizza après ? Ma mère pourrait te raccompagner chez toi. Je meurs de faim.

— Oh ! a-t-elle dit pour commencer. (Et puis, plus rien ensuite. Son sourire avait disparu lui aussi.) Écoute, Rafe...

Je te trouve très gentil. Par moments, en tout cas, mais je ne voudrais pas que tu aies de fausses idées. J'ai juste eu l'impression que tu avais… je ne sais pas… changé et je me suis dit que cela te ferait du bien de…

— De quoi ?

J'avais super honte mais en même temps, j'étais aussi énervé. De plus en plus énervé.

— Tu sais… le bénévolat, ce genre de choses.

— Tu as pensé que cela… me ferait du bien ? ai-je répété. Tu me prends pour un cobaye ou quoi ?

— Ce n'est pas ce que je voulais dire.

Juste à cet instant, Allison Prouty s'est écriée, depuis le minivan de sa maman :

— Hé, J.G., tu viens ?

C'est comme ça que les élèves cool l'appellent : J.G. pour Jeanne Galletta. Il y en avait une belle brochette, assis à l'arrière de la voiture.

— Je dois y aller, Rafe. S'il te plaît, ne le prends pas mal. J'ai vraiment beaucoup apprécié ton aide aujourd'hui.

— Ouais-ouais. Pour ça aussi, tu as récolté des points de moyenne supplémentaires ?

— Jeanne ! a insisté Allison. Dépêche !

— Il faut vraiment que j'y aille. Passe un bon week-end, Rafe. À la semaine prochaine.

— C'est ça, ai-je rétorqué mais elle était déjà partie.

J'avais beau être déguisé en faucon, je dois admettre que je me sentais comme la plus grosse dinde[2] dans toute l'histoire de Thanksgiving.

2. Volaille traditionnellement servie lors du repas de cette fête nord-américaine.

CHAPITRE 41

REMISE DES BULLETINS : QUE DES A ! HOURRAAAAA !

Il ne s'est pas passé grand-chose entre Thanksgiving et les vacances de Noël. D'ailleurs, si je m'attardais trop à vous raconter ces semaines, vous risqueriez de croire que les pages de ce livre sont restées collées entre elles et que vous relisez le même chapitre encore et encore. Pour vous, donc, la version courte :

Miller, éternel crétin, insulte à l'humanité, pustule purulente sur la surface de cette planète : ça, cela ne risquait pas de changer. Je devais économiser une partie des profits de la vente de Zoom pour faire mes cadeaux de Noël alors je n'ai pu lui racheter que douze pages de mon cahier.

L'école dans tout ça ? La dernière chose que Donatello m'a dite avant les vacances, c'était :

— Ne relâche pas tes efforts, Rafe. Je sais que tu es capable de mieux encore. Et je sais que tu le sais aussi.

En d'autres termes : « Ne t'attends pas à des bonnes nouvelles sur ton bulletin. »

C'est la raison pour laquelle j'ai consacré les premières journées des vacances à guetter, dans le froid, dehors, l'arrivée du facteur. Maman était toujours au travail lorsqu'il passait ; quant à l'Ours, il ne remarquait jamais rien hormis sur un écran de télé ou s'il y avait des pepperoni dessus, donc je ne risquais rien de ce côté.

Le troisième jour, on a reçu une enveloppe avec l'entête du collège de Hills Village dans le coin à gauche. Elle sentait les mauvaises nouvelles à plein nez. Je l'ai cachée sous mon manteau et j'ai déposé le reste du courrier à l'intérieur avant de filer dans ma chambre pour évaluer l'étendue des dégâts.

BULLETIN — COLLÈGE HV — Nom : RAFE K.

MATIÈRE	NOTE	APPRÉCIATIONS
Éducation civique	F	À quoi sert l'éducation civique exactement ?
Anglais	D	D comme Donatello !
Sciences Physiques	D-	La physique, c'est pour les intellos.
Maths	F	Merci pour ta participation. Essaie encore !
Espagnol	F	J'ai déjà un mal fou en anglais !
E.P.S.	D+	MEC ? Un D+ en cours de SPORT ? C'est dur à ce point ?
Art	C	Bravo ! T'es un GÉNIE !

Il y avait aussi une lettre pour maman de la part de Mme Stricker, dans laquelle elle disait qu'elle la contacterait après les vacances pour programmer un rendez-vous afin de parler « des résultats scolaires de Rafe ».

Olavache. C'était pire que ce que je pensais.

En résumé, deux possibilités. En finir vite et laisser mon bulletin en évidence sur le comptoir où maman ne pourrait pas le rater. Ou... gagner du temps. De cette façon, au moins, maman passerait un à peu près bon Noël sans avoir à se soucier de moi pendant quelque temps. Elle l'avait bien mérité et, pour être tout à fait honnête, j'estimais que moi aussi.

J'ai d'abord eu l'idée de tout planquer sous mon matelas, bien au milieu de mon lit mais Leo n'aime pas quand je fais les choses à moitié.

— Pourquoi prendre des risques quand il existe d'excellentes façons de se débarrasser de preuves accablantes ? a-t-il commenté.

Naturellement, je lui donnai raison et j'ai donc opté pour une autre solution. J'ai remis mon bulletin sous mon manteau et, après un bref arrêt dans la cuisine, j'ai décroché la laisse de Dikta qui pendait à la porte de derrière.

— Dikta ! Viens ici, le chien.

Il existe deux moyens – pas un de plus, pas un de
moins – d'être ami-ami avec Dikta : les promenades
et la bouffe. À la seconde où il a aperçu la laisse dans
ma main, il est arrivé en courant, tel un meneur au
basket, et m'a cloué contre la porte, laissant de la
bave partout sur son passage.

— Où tu vas, minus ? m'a lancé l'Ours depuis le
canapé.

— Je vais juste promener Dikta, ai-je répondu le
plus naturellement du monde.

— Bonne idée. Un peu d'exercice, c'est bon pour toi.

« Tu peux parler », ai-je pensé.

— À tout'.

Promener Dikta n'a rien d'une promenade en
vérité. Cela donne plutôt l'impression d'être traîné
derrière un char d'assaut tout en s'efforçant de
garder le cap. Par chance, Dikta avait branché le
pilotage automatique si bien qu'il a foncé tout droit
vers le champ où il a l'habitude d'aller pour ses
besoins. Ils devaient construire un immeuble ici mais
en attendant, le terrain était à l'abandon.

Au bout du champ, il y a un fossé de drainage : en
résumé, un ruisseau qui coule dans un gros tuyau.

J'ai attaché la laisse de Dikta à un arbre et je me suis accroupi près du cours d'eau, là où on ne pouvait pas me voir.

Ensuite, j'ai ramassé des cailloux et je les ai assemblés dans un cercle à la manière d'un petit feu de camp. Puis, j'ai sorti mon bulletin trimestriel, la lettre de Mme Stricker, l'enveloppe et une boîte d'allumettes de la maison. Je ne suis pas censé y toucher quand maman n'est pas là mais, d'un autre côté, je ne suis pas non plus censé incinérer mon bulletin. Je l'ai chiffonné et placé au milieu du cercle pour l'enflammer.

Quand il a été tout brûlé, réduit à un minuscule tas de cendres, j'ai jeté le tout dans l'eau et je l'ai suivi des yeux dans le tuyau. Alors, j'ai tassé la terre pour effacer mes empreintes de pas, j'ai détaché Dikta et je l'ai laissé me traîner à la maison après un tour du quartier, des fois qu'il y ait des témoins. C'était un peu exagéré mais comme Leo dit toujours, pourquoi prendre des risques ?

Et devinez quoi ! Ça a marché. (Un petit temps, en tout cas.)

CHAPITRE 42

OH, OH, OH

CHAPiTRe 43

VITE FAIT, BIEN FAIT (ENFIN... SURTOUT VITE FAIT)

Bon, j'avoue, c'est une mauvaise façon de résumer Noël ; en vérité, ç'aurait pu être bien pire. On a échappé à une cata majeure, c'est l'important.

Le plus *space*, c'était la présence de l'Ours, pour la première fois, le 25 décembre au matin. Maman avait deviné que ni Georgia ni moi ne voudrions lui offrir de cadeau alors elle a acheté des petites bricoles et mis notre nom dessus pour lui. Pour elle, je me suis abstenu de tout commentaire, me contentant d'un « de rien » au moment où il ouvrait le porte-canette en mousse à l'effigie de la Ligue nationale de football que je lui avais soi-disant offert et d'un « merci » lorsque j'ai déballé le pull des Chicago Bears qu'il m'avait prétendument acheté.

Après, maman a préparé un délicieux repas couronné, en dessert, par deux sortes de tartes du resto : pommes et chocolat. J'ai repris deux fois de chaque plat et on a tous veillé tard pour regarder *Les Aventuriers de l'Arche perdue* à la télé.

Et en un éclair, Noël s'est terminé.

Ensuite, maman a appris la nouvelle pour mes notes et les ennuis ont recommencé.

(Vous avez remarqué la vitesse à laquelle ce chapitre s'est clos ? C'est exactement ce que j'ai ressenti. Maman soutient que l'art imite la vie mais personnellement, je résumerais ça beaucoup plus simplement, en trois mots : mon éternelle poisse.)

RETOUR DE BÂTON

Maman était assise à l'ordinateur lorsque je suis entré dans la cuisine ce matin-là. Dès que j'ai compris ce qu'elle faisait, j'ai su que j'étais fichu. Elle consultait le site Internet du collège.

À l'écran, en pleine page… mon bulletin !

— On aurait dû en recevoir un exemplaire par la poste, non ? a-t-elle souligné.

Je m'efforçais de ne pas paniquer ni afficher la tête d'une personne reconnue coupable d'avoir brûlé son bulletin avant de le jeter dans un fossé quelque part.

L'Ours était accoudé au comptoir, la moitié d'une part de tarte dans une main, une brique de lait dans l'autre ; Dikta, à ses pieds, léchait les miettes.

— Sacrées notes, minus, a-t-il commenté. Bravo !

— Ce n'est pas très bon, mon chéri. Que s'est-il passé ? a voulu savoir maman.

C'était le genre de questions auxquelles il était impossible de répondre. J'ai dit la première chose qui m'est passée par la tête.

— C'est à cause du programme : je ne crois pas qu'ils nous enseignent les bonnes matières.

Il y avait sûrement une part de vérité là-dedans ; toutefois, cela ne me sortirait pas de ce mauvais pas.

Maman a considéré à nouveau l'écran puis elle a poussé un soupir grave, comme si elle regardait un film triste.

— Eh bien, quoi qu'il en soit, il va falloir prendre des mesures.

— Autrement dit, ta mère a été bien trop coulante avec toi depuis trop longtemps, est intervenu l'Ours. Maintenant, c'est terminé.

— Ce n'est pas ce que je voulais dire, a-t-elle rectifié.

Seulement, l'Ours a continué son bla-bla.

— À partir d'aujourd'hui, tu vas rentrer à la maison directement après l'école et tu commenceras par faire tes devoirs. Et moi, je les vérifierai systématiquement.

— Pas question, ai-je rétorqué. T'es pas mon prof, ni mon père non plus d'ailleurs.

J'avais largement dépassé les bornes, même avec

l'Ours. J'ai lancé un regard à maman dans l'espoir qu'elle prenne ma défense mais j'ai su tout de suite que c'était peine perdue.

— Je travaille, l'après-midi, Rafe. Je ne peux pas être ici et tout gérer.

— Tu pourrais si lui avait un boulot.

— Hé, je suis là, je te signale, a rugi l'Ours. Et tu sais quoi, j'ai été collégien moi aussi.

— Ouais, à l'école du cirque.

— Fais attention à ce que tu dis, minus.

— Arrête de m'appeler comme ça.

— Tu crois pouvoir me donner des ordres ? Minus !

Je me sentais sur le point d'exploser mais maman m'a devancé. Elle a jeté les mains en l'air en poussant un cri qui ressemblait à « AAARRGH » avant d'ajouter :

— Vous ne pourriez pas vous parler normalement pour une fois, tous les deux ?

— Vas-y, toi. Le gosse est insupportable.

L'Ours a pris la dernière part de tarte du plateau pour l'enfourner dans sa bouche.

Maman s'est levée et dirigée vers le frigo.

— Vous savez quoi ? Je vous laisse régler ça entre vous. Non, non, non, rectification : cela m'est égal que vous régliez ça ou pas. Rafe, ce sera la nouvelle règle à partir de maintenant. Carl vérifiera que tu as bien fait tes devoirs, un point c'est tout.

Je m'attendais à ce qu'elle ajoute quelque chose qui commence par « Quant à toi, Carl… » alors que pas du tout. Elle s'est contentée de sortir des œufs pour préparer le petit-déjeuner, comme si de rien n'était.

Comme si elle ne venait pas de me donner en pâture à l'Ours.

« Quand je pense que j'ai abandonné ma mission pour toi ! » ai-je songé.

J'avais toujours considéré ma mère comme la principale, véritable personne, à qui je pouvais me fier. Même après l'emménagement de l'Ours, j'avais imaginé qu'elle resterait dans mon camp dans les moments importants tandis que maintenant, je ne savais plus quoi penser, hormis : TIRE-TOI D'ICI, RAFE !!!

CHAPITRE 45

LE BLUES DE LA RENTRÉE

L e jour de la rentrée a commencé à grand
fracas. Ou, plus exactement, par une grande
bousculade. Miller m'est tombé dessus deux secondes
– pas une de plus – après mon arrivée. Les couloirs
étaient bondés et je ne l'ai remarqué qu'à l'instant où
il plaquait sa paluche familière sur ma nuque.

— Devine quoi, Khatchadorian ? J'ai finalement
lu une partie de ton cahier pendant les vacances,
m'a-t-il raconté au creux de l'oreille. Ouaaaaah. Tu es
encore plus pathétique que ce que je croyais.

— Lâche-moi !

J'ai tenté de me dégager mais il a serré plus fort.
Je pouvais presque sentir son pouce gras s'enfoncer
dans mon tronc cérébral.

— Alors, voilà le marché, a-t-il repris. Qui dit
nouvelle année dit nouveau tarif. Ce sera un dollar

cinquante la page à compter d'aujourd'hui. Et estime-toi heureux si je ne montre pas à ta petite copine Jeanne Galletta tous les dessins d'elle que tu passes ton temps à gribouiller. Pigé ?

Il n'a pas pris la peine d'attendre ma réponse mais m'a poussé de toutes ses forces face contre terre devant tout le monde.

— Gaffe où tu mets les pieds, Picasso !

Gabe Wisznicki lui a tapé dans la main et ensemble, ils se sont éloignés dans le couloir en marchant sur mes affaires.

Depuis le jour où Miller m'avait volé mon cahier et qu'il avait commencé à me soutirer de l'argent, il ne semblait plus autant motivé par la perspective de m'assassiner. On aurait dit qu'il me testait à présent, histoire de voir quand je péterais les plombs.

Et je suppose que la réponse était : maintenant.

Je n'ai pas pris le temps de réfléchir. Je n'ai pas tourné sept fois ma langue dans ma bouche avant d'essayer d'arranger les choses en discutant. Je me suis tout simplement relevé pour me ruer sur Miller. Mes pieds ne touchaient plus terre. J'ai atterri sur son dos et me suis agrippé avec l'énergie du désespoir.

Miller a d'abord essayé de m'attraper puis il s'est ravisé, préférant pivoter légèrement sur le côté et sauter en arrière, vers le mur, aussi violemment que possible. À supposer que ce soit une prise de catch, on l'appellerait le Sandwich Fatal et devinez à quoi il était garni ! J'ai lâché prise, le souffle coupé, et suis tombé par terre pour la deuxième fois sans même que Miller ait eu besoin de me toucher.

Un groupe d'élèves a formé un cercle autour de moi, certains poussant des cris.

— Une baston ! Une baston ! Une baston !

Mme Stricker a émergé du bureau de l'accueil comme si on lui avait tiré dessus avec un canon.

— Que se passe-t-il ? s'est-elle écriée.

— Rafe a sauté sur Miller ! a rapporté Gabe.

Le hic, c'est que c'était la vérité. Et qu'il y avait au moins trois dizaines de témoins.

— Miller m'a fait tomber ! me suis-je justifié.

— Tu as trébuché, a-t-il rectifié, un doigt pointé vers les paillassons, à l'entrée.

Ils sont tout usés et gondolés : les élèves trébuchent régulièrement à cause d'eux.

— Menteur !

— Mauviette !

— Dans mon bureau ! Tous les deux ! a ordonné Stricker, des revolvers à la place des pupilles. Et que ça saute !

— Mais je n'ai rien fait ! a protesté Miller, les yeux écarquillés, avec un air plein d'innocence.

Sérieusement, je pense qu'il aurait beaucoup d'avenir dans le Club de théâtre du collège.

Au moins, Stricker n'a pas été dupe.

— M. Miller, vous êtes l'un des deux pires fauteurs de troubles que je connaisse. (Là, elle s'est tournée pour planter son regard dans le mien et désigner sans qu'il y ait l'ombre d'un doute possible… l'autre.) Allez ! En avant !

Je n'avais pas franchement d'autre choix qu'avancer, sorti tout juste des griffes de Miller le Tueur pour me jeter tout droit dans celles du Sergent Stricker.

CHAPITRE 46

MA DÉTENTION AVEC LE SERGENT STRICKER

Les menottes meurtrissent ma chair ; mes mains sont engourdies. Des gouttes de sueur glissent sur mon front pour se mélanger aux filets de sang qui coulent de mes plaies là où les gardes m'ont frappé avant de m'enfermer dans ce trou.

Depuis combien de temps suis-je ici ? Une heure ? Six heures ? Une journée ? Tout est si flou.

Soudain, une lumière vive m'aveugle. Sa chaleur est intense.

J'entends un bruit de porte. Je ne vois personne mais je reconnais des bruits de pas et un cliquetis de clés. Puis une voix.

— On veut faire le malin, Prisonnier 2041588 ?

Je reconnaîtrais cette voix entre mille. C'est celle du Sergent Ida D. Stricker, la plus sadique des gardes. Le D, au milieu, c'est pour « douleur ».

— Non, M'dame, pas du tout.

Si vous oubliez de dire « m'dame », elle vous arrache un ongle de doigt ou d'orteil avec une pince. Croyez-moi, vous commettez l'erreur une fois, pas deux.

— Tes copains de cellule racontent que tu t'es jeté sur Miller le Tueur sans raison.

— Ça, ce n'est qu'une partie de la vérité, précisé-je. Ils ont oublié de mentionner que c'est lui qui a commencé. *m'dame.*

— Donc, tu es bagarreur *et* menteur ?

— Non, m'dame. C'est Miller qui me cherche sans arrêt des poux.

À ce que je sais, ils ont déjà libéré Miller. Ici, ce n'est pas exactement ce qu'on pourrait appeler la capitale mondiale de la justice.

Le Sergent Stricker s'approche. Je vois

179

parfaitement son visage à présent, ainsi que la longue cicatrice irrégulière qui court le long de sa joue. Il paraît qu'elle se livrait à des combats dans des cages avant de travailler ici.

— Écoute-moi bien, gamin, je suis de ton côté. *(Mais oui, c'est ça !)* Moi, tout ce que je veux, c'est que tu développes pleinement ton potentiel.

— Mon potentiel, m'dame ?

— C'est exact. Ton potentiel de plus jeune voyou que j'aie jamais envoyé au pénitencier de l'État. (Elle m'éclate de rire à la figure mais ses lèvres ne sourient pas.) Tu trouves que tu l'as à la dure avec nous, 2041588 ? Tu n'as encore rien vu.

J'imagine que c'est censé me faire peur, seulement cela ne marche pas. Ce qui m'effraie, en revanche, c'est le coup-de-poing américain en cuivre qu'elle détache de sa ceinture d'uniforme. Elle l'enfile sur ses doigts tatoués.

— Cette conversation est terminée. Il est l'heure d'aller te coucher. Bonne nuit, 2041588.

Alors, elle me frappe une fois… deux fois… trois fois et les murs se mettent à tourner autour de moi avant… le noir complet.

DESCENTE AUX ENFERS

Une fois terminé le sermon de Mme Stricker sur l'importance de faire les bons choix dans la vie, de ne pas s'écarter du droit chemin et d'être un exemple de savoir-vivre (kézako ?), elle me plante au cachot. C'est ainsi qu'on a baptisé la salle de permanence au collège. C'est une petite salle sans fenêtre avec juste une porte vitrée afin qu'ils puissent vous garder à l'œil lorsque vous rattrapez un devoir ou que vous êtes « sur la corde raide », comme moi.

Après un temps, l'une des secrétaires est venue m'informer qu'elles m'attendaient « toutes les deux » dans le bureau de Mme Stricker.

— *Toutes les deux ?* ai-je relevé mais elle s'est contentée d'indiquer la porte, l'air de dire « vite ! pas de temps à perdre avec toi ! ».

À mon arrivée dans le bureau, j'avais deviné par moi-même de qui il s'agissait. Mais à quoi bon ?

Il était trop tard pour changer quoi que ce soit. La tempête maman s'était déjà abattue sur moi.

— Assieds-toi, Rafe, m'a-t-elle demandé. Il faut qu'on parle.

BLAM!

Opération
TEMPÊTE DE
LA MÈRE!

Les quarante-cinq minutes suivantes passées dans ce bureau ont été à peu près aussi amusantes qu'une journée à Disney World... sous une pluie battante.

Quand il n'y a plus que des hot-dogs à manger. Et que vous vous faites électrocuter sur les manèges.

Maman et Mme Stricker m'ont posé un tas de questions de réflexion, du genre : Qu'est-ce qui t'es passé par la *tête* ? Que va-t-on faire de toi, maintenant, à *ton* avis ?

Ensuite, elles m'ont demandé de sortir pour pouvoir parler en tête à tête. Puis de revenir. Je commençais à avoir le tournis avec tous ces va-et-vient.

— Rafe, l'heure est aux mesures drastiques, a décrété Mme Stricker. Les bagarres ne sont pas prises à la légère, ici, au collège. Demain, tu passeras la journée entière en colle et franchement, c'est le moins que tu mérites.

IMPACT PRÉVU DANS 3...2...

— Quant à tes notes, a repris maman,
Mme Stricker pense, et je suis d'accord avec elle,
que tu devrais prendre des cours particuliers.
Mlle Donatello s'est déjà portée volontaire pour
passer du temps avec toi après l'école, les mardis et
jeudis, et je me suis engagée en ton nom.

— Tu auras également une camarade pour t'aider

en mathématiques et en physique, une fois par semaine, a précisé Mme Stricker. Une élève de ton âge. Notre système de soutien scolaire entre élèves fonctionne à merveille et j'ai la personne qu'il te faut.

Elle a jeté un coup d'œil à sa montre puis s'est penchée sur son téléphone dont elle a pressé une touche.

— Mme Harper, vous pourriez demander à Jeanne Galletta de venir dans mon bureau ?

À TOI DE ME LE DIRE

Maman et l'Ours se sont méchamment disputés
ce soir-là quand elle lui a raconté ce qui s'était
passé. Il lui criait sans cesse qu'elle n'était pas
assez dure avec moi tandis qu'elle lui rétorquait
de se mêler de ses affaires. Je suis resté dans ma
chambre, en attendant que ça se termine. Pour finir,
maman a dit qu'elle allait être en retard au travail
et elle est partie en claquant la porte derrière elle.

Enfin un peu de calme ; c'était déjà ça.

Lorsque j'ai interrogé Leo sur la manière dont je
devrais réagir, il m'a répondu tout de go :

— Sans commentaire. Si ce n'est que tu n'as plus
aucune raison de ne pas reprendre le jeu, mais ça,
on le sait déjà tous les deux.

Il avait raison. J'avais passé les deux derniers
mois à essayer d'être quelqu'un d'autre – de normal,

voire de bien. Bilan des courses : je ne m'en tirais pas mieux du tout. Maman m'en voulait à mort ; l'Ours était encore plus sur mon dos qu'avant et tous les deux, ils passaient leur temps à se chamailler à cause de moi. Non seulement ça, mais Miller était toujours en vie, Jeanne serait bientôt ma tutrice et j'avais officiellement hérité de l'étiquette de « terreur du collège ». Au moins, avec l'Opération R.A.F.E., je trouvais un peu de réconfort dans mon malheur : je m'amusais.

Hummm… Alors, malheur et amusement ? Ou malheur et ennui ? Qu'en pensez-vous ?

J'ai ouvert mon sac à dos et cherché au fond le règlement de l'école. Depuis des semaines, je n'y avais pas touché.

— Par où je commence ? ai-je demandé à voix haute.

— Peu importe, a répondu Leo. Choisis une page au hasard et lance-toi.

— Facile à dire pour toi. Tout ce que tu as à faire, c'est de trouver les idées et de rester assis les bras croisés. C'est moi qui me tape tout le travail.

— Et si je te donnais vingt-cinq mille points pour ta bagarre contre Miller ?

— Tu parles d'une bagarre.

Si ç'avait été le cas, j'aurais probablement quitté l'établissement sur deux civières : une pour chaque morceau de mon corps.

— Tu as eu des ennuis parce que tu t'es battu, c'est normal que cela te rapporte des points, a souligné Leo. En plus, tu gagnes soixante-quinze mille points grâce à ta journée de retenue. Pas mal, hein ? Maintenant, il ne te reste plus qu'à récolter vingt mille points supplémentaires d'ici la fin de la journée demain et tu pourras te considérer comme officiellement réintégré au jeu.

— Tu veux dire après-demain ? Je suis enfermé en salle de perm' toute la journée de demain.

— Justement. C'est ton défi de retour.

J'aurais dû m'en douter. Du Leo tout craché.

— Et comment je vais pouvoir toucher vingt mille points enfermé entre quatre murs ?

Leo, impassible, a indiqué le règlement que je tenais en main.

— À toi de me le dire.

CHAPiTRE 49

COPIEUR

Un peu plus tard, je suis entré au salon où l'Ours mangeait des Chocopops à même la boîte en regardant une retransmission des meilleurs moments de la saison de football ; il avait déjà vu tous les matchs mais bon…

— Je dois aller faire une course.

— Il y a du poisson pané au congélateur.

— Ce n'est pas pour le dîner, lui ai-je répondu. Il faut que j'aille à la papeterie acheter une affiche pour un exposé.

— Quel genre d'exposé ? a-t-il insisté comme si je mentais (et il avait raison mais comment aurait-il pu le savoir ?).

J'ai jeté un œil au téléviseur où les scores de tous les matchs clignotaient.

— C'est sur des statistiques. Pour mon cours de maths.

J'aurais juré que si l'Ours ne s'était pas autoproclamé surveillant général pour mes leçons, il se serait retourné, aurait pété et m'aurait finalement dit que c'était mon problème. En réalité, pas du tout : il s'est levé et a hurlé à Georgia d'enfiler son manteau parce qu'on sortait faire une course.

— Il y a des poissons panés au congèl' ! a-t-elle crié à son tour.

Quinze minutes plus tard, on se garait devant le magasin de fournitures de bureau. Je les ai avertis que je n'en avais pas pour longtemps.

— Je veux venir ! a décrété Georgia.

— Attends plutôt ici. Carl est en train de rater son émission préférée et plus vite j'en ai terminé ici, plus vite on sera rentrés.

— Tu restes là, Georgia, a commandé l'Ours.

Sérieusement, je m'améliorais de plus en plus pour ce qui était de parvenir à mes fins.

Je suis entré en courant dans le magasin et j'ai foncé tout droit sur les photocopieuses en libre service. Avant que quelqu'un m'en empêche, j'ai soulevé le rabat de l'une des machines, collé mon visage à la vitre et appuyé sur le bouton « marche ».

Sur la première photocopie, j'avais le nez tout ratatiné mais au deuxième essai, j'ai réussi. Une chance car le manager m'a demandé d'arrêter de photocopier ma figure (même si je payais pour ça).

Cela m'a coûté quatre-vingts cents les deux copies couleur, plus deux dollars vingt-neuf la grande affiche dont je n'avais pas besoin. Cela voulait dire deux pages supplémentaires que je ne pourrais pas racheter à Miller, mais je me rattraperais quand j'aurais recommencé à vendre du Zoom.

— Tu en as mis du temps, a râlé l'Ours lorsque je suis revenu.

J'ai caché les photocopies bien serrées au dos de l'affiche pour qu'il ne les voie pas et je suis monté en voiture.

— Tu es prêt pour ton exposé maintenant ? m'a-t-il interrogé.

— Je verrai ça demain, ai-je répondu le plus honnêtement du monde.

CHAPITRE 50

BREF, ÇA VALAIT LE COUP

Des études ont prouvé qu'une journée de colle dans son propre collège est le truc le plus pénible qui puisse arriver à un élève, surtout à Hills Village. Il n'y a que vous, vos devoirs et quatre murs.

Pendant. Toute. Une. Journée.

J'ai eu treize ans dans cette pièce. L'hiver s'est terminé ; le printemps est arrivé puis reparti. Des guerres ont éclaté. Des arbres ont poussé. Des bébés sont nés et des gens sont morts.

À présent, je comprends tout à fait pourquoi ils donnent des retenues d'une journée entière : parce qu'une fois sorti, vous vous jurez de ne plus jamais passer une journée dans cette salle. Je parle pour moi, en tout cas.

N'empêche… je les ai gagnés, mes 20 000 points !

La vérité, vous la voulez ? Je n'avais pas

imaginé une seconde que cette histoire de masque
fonctionnerait et elle n'a pas marché en effet.
Seulement, je n'avais pas eu le temps de trouver
mieux, à la dernière minute. N'empêche, lorsque j'en
ai eu l'idée, ça m'a interpellé et j'ai voulu essayer
malgré tout. D'après maman, les chefs-d'œuvre
naissent toujours au terme d'une longue série
d'échecs. Peut-être qu'un jour, je réussirai celui-là et
que j'en vendrai des milliards d'exemplaires.

En attendant, j'avais à peine eu le temps de fermer
les yeux lorsque j'ai entendu la porte de la salle de
permanence s'ouvrir et Mme Stricker me hurler :

— Rafe Khatchadorian, tu te crois où ? Enlève ça
tout de suite !

J'ai obéi mais alors que je lui tendais le masque, il est arrivé un truc incroyable. Elle a baissé les yeux sur mon bricolage (un bout de papier avec une ficelle, rien de plus) et elle a commencé à faire une drôle de tête, les yeux plissés, les pommettes gonflées. J'ai d'abord cru à un méga problème mais pour finir, elle a simplement éclaté de rire.

Cela n'a pas duré longtemps. Deux ou trois secondes peut-être jusqu'à ce qu'elle se ressaisisse. Alors, elle s'est raclé la gorge, m'a ordonné de me remettre au travail et elle a quitté la pièce en secouant la tête.

Bon, je doute que vous puissiez apprécier la chose à sa juste valeur sans connaître personnellement Mme Stricker, mais la faire rire revient à dresser une pieuvre pour qu'elle se tienne en équilibre sur deux tentacules. Tout en jonglant avec les six autres, peut-être. À ma connaissance, personne n'a jamais été témoin d'un tel miracle dans toute l'histoire du collège de Hills Village.

Donc Leo m'a accordé 20 000 points quand même.

Et c'est ainsi que j'ai survécu à ma première journée de retenue.

TÊTE-À-TÊTE EN MODE TUTORAT

Le mercredi d'après, à l'heure du déjeuner, j'étais censé avoir ma première heure de tutorat avec Jeanne. J'ai passé toute la dernière heure de cours de la matinée avec M. Rourke à essayer de vomir ou de m'évanouir mais je ne suis parvenu qu'à avoir la tête qui tournait.

À la sonnerie, je suis allé à mon casier bien que j'aie déjà mon livre de maths avec moi. Ensuite, je suis passé aux toilettes même si je n'avais pas envie. Après, j'ai mangé. Sans appétit. *Finalement*, j'ai rejoint la salle de maths à pas de souris.

J'avais déjà demandé à Mme Stricker si je pouvais avoir un autre tuteur mais en résumé, à moins que Jeanne n'ait été reconnue coupable de meurtres en série ou qu'au minimum, elle ait été infestée de poux, j'étais condamné à rester avec elle.

En arrivant près de la salle de maths, mes pieds ont continué dans le couloir sans s'arrêter. Ils avaient tout pigé. Pas fous, mes pieds ! Peut-être que je ferais demi-tour et que je réessaierais, ai-je songé. Ou peut-être… pas.

— Rafe ?

Je me suis retourné. Jeanne avait passé la tête par l'entrebâillement de la porte.

— Tu ne t'apprêterais pas à me poser un lapin par hasard ?

Le moins qu'on puisse dire, c'est qu'elle n'y allait pas par quatre chemins.

— Non, j'allais juste chercher un truc dans mon casier.

— Han-han. (À l'entendre, cela signifiait plutôt « Mouicéçabiensûr ».) Allez, Rafe, ce n'est rien que du soutien scolaire. On ne va pas en mourir, ni toi ni moi.

« On ne va pas en mourir » ? Comment j'allais pouvoir me rétracter maintenant ?

— Aucun problème, lui ai-je assuré.

Je l'ai suivie à l'intérieur et on s'est assis à une des tables de travail. Jeanne avait déjà préparé son livre de maths.

— Tu es dans l'unité huit, c'est ça ?

— Je crois que oui.

— La division des fractions. Ha ! Pas facile.

Je savais qu'elle disait ça pour que je me sente moins nul. Elle avait dû finir l'unité huit quand elle avait elle-même huit ans alors que je m'y collais seulement.

Avec un crayon, elle a pointé plusieurs fractions sur la page.

— Tu vois les chiffres du haut ? On les appelle « numérateurs ». Et ceux du bas…

Ma réplique suivante est sortie toute seule :

— Je te donne cinq dollars et on fait semblant que tu m'as donné cours.

Je ne sais vraiment pas ce qui m'a pris.

Jeanne m'a toisé, un sourcil arqué. Comment l'interpréter ? Elle a soutenu mon regard pendant un bon moment, à tel point que j'ai fini par me demander si on ne jouait pas à « le premier de nous deux qui rira ».

— Pour ton information, Rafe, a-t-elle dit au final, je ne t'ai jamais considéré comme un cobaye ni rien de ce genre. J'essayais simplement d'être gentille.

Ouah. Hallucinant ! Elle se souvenait même de mes mots exacts. Toute cette histoire désastreuse de vente de gâteaux à Thanksgiving semblait remonter à la préhistoire ; on n'en avait même jamais reparlé, ce qui était plutôt bizarre.

Mais vous savez ce qui est encore plus étonnant ? Qu'on en ait discuté, là.

J'ai décrété l'époque où Jeanne me considérait comme un loser officiellement terminée. D'ailleurs, j'avais l'impression qu'un grand nombre de choses étaient du passé, ces jours-ci.

— Je ne pensais pas vraiment ce que j'ai dit. (Mensonge !) Bref. Cela n'a plus d'importance.

Jeanne continuait à me dévisager alors j'ai ouvert mon sac à dos pour prendre mon bouquin de maths, des feuilles et un crayon.

— Je t'écoute. Comment tu appelles les chiffres du haut, déjà ?

Elle aussi a pris son crayon en main.

— Tu es sûr de vouloir faire ça ? a-t-elle insisté.

— Absolument, je ne vais pas en mourir.

CHAPITRE 52

COMMENTAIRES EN DIRECT

BON RETOUR PARMI NOUS, FANS DE L'OPÉRATION R.A.F.E.

Ce jeu vous est retransmis **EN DIRECT** du collège de **HILLS VILLAGE** où, au cours de la 3ᵉ manche, le score s'élève à :

RAFE KHATCHADORIAN : 910 000, contre

Collège de Hills Village : 0 ! Khatchadorian est particulièrement en forme depuis le début de cette manche. Nombreux sont les supporters qui ont pu croire qu'il était k.-o. après son faux pas en première partie de match mais il a réussi une magnifique remontée. Depuis, nous avons assisté à une compétition de classe internationale. Mais revoyons ensemble les moments forts du jeu. »

« Rappelez-vous, les amis, il ne s'agit pas seulement de clôturer ce jeu : c'est la façon de le terminer qui compte. L'entraîneur de Rafe, Leo Sans Paroles, insiste avant tout sur la technique et Khatchadorian s'est montré à la hauteur de la situation. Il n'effectue pas seulement son come-back, mesdames et messieurs : il est plus fort que jamais ! »

« Bien évidemment, la question que tout le monde se pose est : Khatchadorian sera-t-il capable d'enfreindre toutes les règles du règlement et d'arriver en finale d'ici la fin de l'année ? D'après notre dernier sondage R.A.F.E. en ligne, vous êtes soixante-douze pour cent à penser qu'il va réussir. Si vous voulez mon avis, chers auditeurs, à en juger par la qualité de cette troisième manche, c'est tout à fait possible ! »

« Les rumeurs filent bon train à propos d'un finish extraordinaire pour ce jeu. Quant à savoir s'il s'agit des ragots habituels ou bien d'une rumeur réellement fondée, il va nous falloir patienter. Une chose est sûre, cependant : Rafe a encore devant lui des obstacles majeurs. Va-t-il s'écraser sous nos yeux ? Ou bien se parer d'une gloire éternelle ? Tout ce que nous pouvons vous dire à présent, mesdames et messieurs, c'est que dans un cas comme dans l'autre, nous vous tiendrons informés de la fin de cette histoire. Alors, restez à l'écoute ! »

CHAPITRE 53

LES MARDIS ET JEUDIS

Je ne suis pas certain d'avoir bien cerné la différence entre du *soutien scolaire* avec Donatello et des *heures de colle* avec Donatello mais une chose était certaine : si j'avais écopé de ces retenues, c'était parce que j'étais le roi des imbéciles.

La plupart du temps, on faisait le travail habituel en classe : étude grammaticale de la composition de la phrase (aaaaaah, je bâille…) par exemple ; ou recherches pour mon exposé d'éducation civique sur les mines de cuivre (là, je ne bâille plus, je ronfle… zzzzzzz). Mais un mardi après les cours, quand je suis arrivé, j'ai découvert des grands carnets à dessin, des crayons de couleur et des feutres étalés sur la table.

— C'est pour quoi ? ai-je demandé à Donatello.

— J'ai pensé qu'une
petite pause te ferait du bien !
Aujourd'hui, on dessine.

Alors, elle a pris un carnet pour elle
et j'ai compris qu'elle était sérieuse quand
elle disait « on ».

— Tu as l'air surpris, a-t-elle constaté. J'adore
dessiner. On a le pouvoir de créer tout et n'importe
quoi. On ne peut pas rêver mieux, si ? Je ne voyais
pas trop où tout cela allait nous mener, mais j'ai pris
un carnet à croquis quand même et je me suis lancé.

Toute l'heure qui a suivi, on est restés assis à
dessiner. Je m'attendais toujours à ce qu'elle se
mette à me poser des questions ou à me donner des
instructions quelconques, mais pas du tout. Lorsque
la cloche a sonné pour annoncer le départ des
derniers bus scolaires, elle a simplement demandé à
voir mon travail. C'était clairement le meilleur dessin
que j'aie fait jusque-là en (soi-disant) heure de colle.

— Tu as tellement d'imagination, a jugé Donatello.
Cela saute aux yeux.

L'espace d'une seconde, j'ai envisagé de lui parler de Leo. Ce qu'elle avait sous les yeux semblait effectivement venir majoritairement de lui. Mais Donatello devait probablement me croire assez cinglé comme ça. Inutile de l'informer que je tenais mes idées de quelqu'un qui n'existait même pas.

Une fois son observation terminée, j'ai voulu déchirer la page mais elle m'a proposé de garder tout le carnet.

— Fais-en bon usage, d'accord ? Tu as bien travaillé aujourd'hui, Rafe. Je dirais même très bien.

J'hésitais à prendre le carnet, redoutant que ce soit un test dont j'échouerais à trouver la réponse exacte.

— Mais on n'a rien fait aujourd'hui, ai-je souligné.

— Question de point de vue, a-t-elle rétorqué après un haussement d'épaules.

Je devais y aller. Le chauffeur du dernier bus de la journée était super à cheval sur la ponctualité et je n'avais aucune envie de rentrer à pied à la maison. Du coup, j'ai gardé le carnet sans jamais savoir si c'était la bonne réaction ou non : Donatello n'en a pas dit un mot.

CHAPITRE 54

DEVOIR SPÉCIAL

J'approchais du but.

À savoir, la fin du manuel du règlement, le moment où j'aurais récupéré tout mon cahier et, au moins, dans une certaine mesure, la fin de l'année. La température remontait et il serait bientôt temps de commencer à penser à mon finish grandiose.

Mais d'abord, il y avait autre chose qu'il me tenait à cœur d'accomplir.

Rien à voir avec les points. Ni avec Leo. Je faisais ça pour moi et j'allais devoir user de toutes les cordes à mon arc, tout ce dont j'avais dû me servir depuis le début de ce jeu : talents artistiques, ruse et courage. Le trio de choc.

J'avais déjà rassemblé mon matériel (six dollars en échange de cent photocopies noir et blanc au magasin de fournitures de bureau) et je l'avais amené à l'école le matin. Et maintenant, assis en première heure de cours – espagnol – j'étais prêt à passer à l'action.

En cours avec Señor Wasserman, on a pratiquement toujours l'autorisation d'aller aux toilettes à condition de demander la permission dans un espagnol parfait. Par conséquent, je m'étais entraîné la veille au soir.

— *Señor Wasserman, me permite ir al baño ?*
— *Sí, Rafael.*

Le plus dur, ce n'était pas d'obtenir le feu vert pour aller aux toilettes mais de sortir mes fameuses photocopies de classe sans que personne ne remarque rien. D'où l'intérêt d'en avoir déjà coincé une bonne pile dans l'élastique de mon caleçon, dans le dos. Je m'en fichais que les feuilles soient froissées. D'ailleurs, j'aimais assez la manière dont les choses se déroulaient étant donné que ce plan consistait précisément à me venger du plus grand merdeux du collège.

CHAPITRE 55

LE BRUTALISÉ BRUTALISEUR
EST-IL ENCORE UNE BRUTE ?

Dans la matinée, j'avais réussi à sortir de cours quatre fois et placardé des affiches partout sur les murs de toutes les toilettes des garçons, de deux de celles des filles, sur le mur du fond de la bibliothèque et même sur quelques casiers dans le couloir du premier étage, tout ça sans me faire prendre. Non seulement tout le monde avait lu mes affiches à présent, mais on ne parlait plus que de ça.

Je n'attendais pas des autres élèves qu'ils se rallient à mon opinion au sujet de Miller. Pourtant, quelque chose me disait que ce surnom allait lui coller à la peau un bon moment.

Cela couvrait la partie offensive de mon plan. Désormais, il fallait passer à la partie défensive.

Je n'avais pas prêté attention à Miller depuis la

première heure de cours mais il ne fallait pas être un génie pour savoir que je figurerais en tête de sa liste de principaux suspects. À ce propos, il devait probablement être en train de me chercher à cette heure. J'ai donc décidé d'anticiper.

Ses copains et lui passaient le plus clair de la récré du midi dans le couloir, près du gymnase. Dans le mille, c'est là qu'ils étaient. Mon cœur battait la chamade lorsque je me suis approché d'eux.

Rick Peña m'a vu en premier ; il a averti Miller d'un coup de coude. Lorsqu'il s'est retourné, j'ai remarqué qu'il tenait une de mes affiches en main, froissée en boule. Sans oublier les deux revolvers à la place de ses yeux.

Il s'est dirigé droit sur moi.

— Ce n'est pas moi ! ai-je aussitôt menti. (Il m'a agrippé par la chemise quand même mais j'ai continué à parler.) Je voulais juste… tu sais…
J'ai quinze dollars.

C'était ce qu'il y avait de plus drôle entre Miller et moi. On se haïssait mutuellement, mais au-delà de ça, il voulait mon argent et moi, qu'il me rende mon cahier. Ni l'un ni l'autre n'avions rien rapporté à Stricker, même lorsqu'on s'était tous les deux fait

coller. C'était l'équivalent de la mafia au collège,
si vous voulez.

Miller a soutenu mon regard
pendant longtemps ; on aurait
dit qu'il pesait le pour et le
contre.

Finalement, il m'a
relâché.

— D'accord, a-t-il dit.
Les toilettes du deuxième
dans cinq minutes.

— Cinq minutes,
ai-je répété avant de
m'éloigner.

Mon cœur, pourtant,
n'avait pas décéléré. Je
n'étais qu'à la moitié.

Cinq minutes et
je l'emportais…
ou… plus que cinq
minutes à vivre ?

DIX PAGES ET UN MENSONGE

NE RENTRE PAS DANS CES TOILETTES !
C'est ce que vous vous dites à cet instant ? Je sais, je sais… Il faudrait être un solide crétin pour se jeter dans la gueule du loup de cette façon, non ? À croire que j'en suis un. Un crétin irrécupérable.

J'ai filé au deuxième et patienté dans le couloir pour m'assurer que Miller venait seul. Je l'ai suivi à l'intérieur et on a vérifié que chaque toilette était vide avant de prononcer le moindre mot. Alors, Miller m'a fait face, une main tendue devant lui :

— Le fric.

Dès que je lui ai donné, il m'a saisi le bras pour le tordre dans mon dos.

— Tu me crois débile ? (Il a sorti l'affiche chiffonnée de sa poche et tenté de me la fourrer dans la bouche.) Tu vas me le payer ! T'es un homme mort.

— Je t'ai dit que ce n'était pas moi ! ai-je insisté en tournant la tête de côté.

Mon bras me lançait mais je n'avais rien de cassé… pour l'instant.

— Épargne-moi ton baratin ! Tu passes ta vie à gribouiller. Ton petit cahier minable est bourré de dessins.

— Tu les as bien regardés ? Ils n'ont rien à voir avec le… euh… l'autre truc.

À cette heure, mieux valait sûrement éviter de prononcer « Miller le Pondeur de merde » à voix haute.

— Tu as pu changer de style exprès… (Miller m'a tordu le bras plus fort encore et j'ai dû lutter pour ne pas hurler.) Imiter quelqu'un autre, qu'est-ce que j'en sais moi ?

— Miller, sérieusement ! J'ai passé la moitié de l'année à essayer de te racheter les pages de mon cahier. Tu crois vraiment que je risquerais de tout envoyer balader avec une blague pareille.

J'avais toujours aussi peur ; en même temps, je dois reconnaître que je vivais un des moments les plus géniaux de toute ma vie. Non seulement Miller m'a cru et a fini par me lâcher, mais il m'a donné les dix pages en échange de mon argent. Hormis mon bras, qui me lançait atrocement, je ne m'étais pas senti aussi bien depuis longtemps.

— Il reste combien de pages ? ai-je voulu savoir.

Il me les rendait à présent dans le désordre alors j'avais perdu le fil.

— Continue à m'apporter du fric et tu verras bien. Par contre, je te propose un truc. Tu arrives à découvrir qui est derrière tout ça... (il a jeté l'affiche à la poubelle avant de renverser celle-ci d'un coup de pied) et je te donne dix pages gratos.

— Marché conclu, ai-je répondu avant de filer aussi vite que j'ai pu.

En sortant des toilettes en un morceau, j'ai jugé que je méritais un énorme bonus de la part de Leo après tous mes efforts. Je n'étais pas sûr d'avoir enfreint la moindre règle ce jour-là mais cela ne comptait même plus. Selon moi, il y avait plusieurs moyens de gagner une bataille. Et ça, cela vaut de l'or.

CHAPITRE 57

DERNIÈRE LIGNE DROITE

À la moitié du troisième trimestre, il s'est passé un truc hallucinant.

J'avais vendu des canettes de Zoom devant mon casier, lentement mais sûrement, histoire de ne pas me faire choper, et lorsque j'ai averti Miller que j'allais pouvoir acheter de nouvelles pages, il a avoué qu'il n'en restait que neuf.

— Par contre, le prix vient à nouveau d'augmenter. Ce sera vingt dollars pour les neuf.

Cela m'était égal. J'avais vingt-sept dollars en poche de toute manière et tant que Miller l'ignorait, j'entretenais l'illusion d'économiser sept dollars. Encore mieux, j'avais officiellement entamé la dernière ligne droite de l'année et le règne de terreur était terminé. (Bon, d'accord, le règne de terreur de Miller ne finirait jamais mais au moins, il ne pourrait plus me faire chanter avec ce stupide cahier.)

J'ai décidé que le moment était venu de réfléchir sérieusement à mon grand finish pour l'Opération R.A.F.E. La condition, c'était que j'écume tout le règlement du collège avant de pouvoir entamer la dernière manche, seulement cela ne voulait pas dire que je n'avais pas le droit de m'y préparer entre-temps.

Après l'école, je suis allé en vélo au magasin de fournitures de bureau pour acheter un gros marqueur noir indélébile. J'ai choisi celui avec la pointe biseautée qui permet de tracer des lignes épaisses ou, au contraire, fines. Il coûtait 4,99 dollars, ce qui me laissait juste assez pour acheter de l'allume-barbecue sur le chemin de la maison.

Dans le garage, j'ai pris un rouleau de ruban adhésif sur l'établi de l'Ours, une pile de vieux journaux dans le bac de recyclage et une canette de Zoom pour aller avec l'allume-barbecue. J'ai emmené le tout dans ma chambre et calé une chaise sous la poignée, juste au cas où.

Ensuite, je me suis servi du Scotch pour placarder une triple couche de papier journal sur les murs afin que le marqueur ne transperce pas les feuilles quand j'appuierais. Par-dessus, j'ai ajouté plusieurs pages du grand carnet à croquis que Mlle Donatello m'avait donné, les alignant bien bord à bord pour former une toile géante.

Maintenant, il ne me restait plus qu'à m'entraîner.

Assis près de moi, Leo me donnait des idées à sa manière : « Fais comme ça », et « Essaie de cette façon » ou « Repasse un coup ici » et « Enlève ce machin ». Ça peut paraître autoritaire quand je l'écris mais je vous assure qu'on forme une bonne équipe, tous les deux.

Plus ça allait, mieux je m'en sortais avec le marqueur. Et qui disait mieux, disait aussi plus vite, ce qui comptait tout autant. La vitesse jouerait un rôle crucial, le moment venu.

Je commençais à être impatient. Personnellement, j'avais hâte de terminer l'Opération R.A.F.E. en beauté. Je voyais ça d'ici.

"INOUBLIABLE"
—Principal Dwight

"RAFE KHATCHADORIAN EST UN CRIMINEL...
ET UN GÉNIE !" —Ida Stricker

"LE KHATCH DU SIÈCLE !"
—Jeanne Galletta

—Leo Sans Paroles

CHAPITRE 58

RAFE KHATCHADORIAN EST UN GROS CRÉTIN

Là, j'ai reçu mes notes de mi-trimestre.

On aurait dit que tous les D et les F du bulletin précédent avaient simplement été disposés différemment. En d'autres termes, après deux mois de cours particuliers, tout ce que j'avais appris, c'était une autre manière d'écrire DDFFDF.

Je savais que Jeanne mourrait d'envie de savoir quels résultats « on » avait obtenus alors je lui ai carrément apporté mon bulletin au cours d'après.

— Ne prends pas ça pour toi, d'accord ? ai-je commencé. C'est impossible de réparer une voiture sans moteur, n'est-ce pas ?

J'ai ponctué ma remarque d'un coup de poing sur ma tête pour signifier qu'elle était vide mais Jeanne n'a pas ri. Elle est restée sans bouger, les yeux rivés à mon bulletin.

J'ai essayé une autre tactique.

— Hé ! Il faut voir le bon côté des choses, encore quelques mois et on pourra dire adieu à la sixième.

— Je l'espère en tout cas, a-t-elle fini par rétorquer.

— Tu espères ? (Cela ne me disait rien qui vaille.) Qu'est-ce que tu sous-entends ?

— Eh bien, tu as dû y réfléchir, non ?

— Réfléchir à quoi ?

— Tes notes, Rafe. Tu ne peux pas espérer recevoir des bulletins pareils toute l'année et passer en cinquième comme une lettre à la poste. Ils pourraient te faire repasser certaines matières. Ou prendre des cours cet été. Ou… (Jeanne s'est mordu la lèvre comme si ça l'embêtait d'aller jusqu'au bout de sa pensée.) Ils pourraient te forcer à redoubler, a-t-elle finalement terminé juste avant que ma tête explose en mille morceaux.

CHAPITRE 59

CHAPITRE 60

COMMENT GAGNER DU TEMPS

Je me suis levé pour sortir de la salle.

Je n'allais sûrement pas pleurer sur mon sort. Pas devant Jeanne.

Ni à l'école.

Ni nulle part ailleurs.

VOTRE ATTENTION, S'IL VOUS PLAÎT, Rafe Khatchadorian ne pleure jamais. Je répète, Rafe Khatchadorian ne pleure JAMAIS.

N'empêche, j'ai filé aux toilettes et je me suis barricadé dans une des cabines, juste au cas où.

Comment était-ce possible ?

J'avais passé toute l'année à réfléchir au moyen de survivre à la sixième sans même envisager le pire. Cela revenait à manquer un porte-avions dans son champ de vision…

ET QUEL GENRE DE NAZE NE VOIT PAS UN PORTE-AVIONS VENIR ?

Un instant, j'ai projeté sérieusement de quitter cette école sans me retourner. C'est vrai, quel intérêt de terminer l'année s'il allait falloir que je la recommence de toute manière ?

Seulement, avant que j'aie le temps de bouger, quelqu'un a frappé à la porte des toilettes.

— Rafe, tu es là ?

Incroyable ! C'était Jeanne.

Je n'ai pas répondu mais la porte s'est ouverte quand même.

— J'entre, a-t-elle annoncé.

Une seconde plus tard, j'ai vu apparaître ses baskets sous la porte.

— Rafe ?

— Va-t'en.

— Ce n'est pas la fin du monde, tu sais. L'année n'est pas terminée. Il te reste encore du temps.

— Pour quoi faire ? Une greffe de cerveau ?

— Pour relever ta moyenne.

— Facile à dire pour toi. Tu t'enfiles des fractions au petit-déjeuner.

Elle s'est approchée d'un pas ; je voyais son œil par la fente. Si seulement j'avais pu me volatiliser d'un coup de chasse d'eau, je n'aurais pas hésité.

— Si mon père était là, tu sais ce qu'il dirait ?

— Ouais. « Qu'est-ce que tu fiches dans les toilettes des garçons ? »

— Non, il te dirait de te secouer.

— Me secouer ?

— C'est sa réplique traditionnelle quand il trouve que je m'apitoie sur mon sort. N'abandonne pas : secoue-toi !

Je me suis levé et j'ai ouvert la porte.

— Je ne m'apitoyais pas sur mon sort.

Réplique un peu pathétique sachant que je me cachais aux cabinets.

— Han-han. Et si on finissait cette conversation ailleurs ? a demandé Jeanne.

Mais là... *Toc toc !*

On frappait à la porte. Bienvenue dans la quatrième dimension.

— Il y a quelqu'un ? s'est élevée une voix que je connaissais trop bien.

La porte s'est ouverte sur la silhouette de Mme Stricker. Des éclairs lui sortaient des yeux.

— Rafe Khatchadorian et Jeanne Galletta ! Je peux savoir ce que vous mijotez ici tous les deux ?

CHAPITRE 61

JEANNE GALLETTA A DES ENNUIS POUR LA PREMIÈRE FOIS DANS L'HISTOIRE DE L'HUMANITÉ

Si on m'avait dit, en début d'année, que Jeanne Galletta serait convoquée au bureau pour autre chose qu'une récompense ou des félicitations pour comportement exemplaire, j'aurais éclaté de rire.

Et si on avait précisé que ce serait parce qu'elle avait été surprise dans les toilettes des garçons, seule avec moi, je me serais écroulé par terre mais en gardant mes distances car je devais avoir affaire à un fou furieux.

Et pourtant, telle était la réalité : cinq minutes plus tard, assis sur le banc de la mort, juste devant le bureau de Stricker, on attendait notre châtiment.

— Je n'arrive pas à y croire, a chuchoté Jeanne. C'est trop injuste.

— C'est fini, les messes basses ? a lancé Mme Harper, la secrétaire, à son bureau.

Jeanne s'est contentée de secouer la tête. J'avais du mal à déterminer si elle se retenait de hurler, de pleurer ou les deux à la fois. Du coup, dès que Mme Harper a eu le dos tourné, j'ai gribouillé un petit message sur un billet de retard et je lui ai donné.

Étonnamment, Jeanne a souri en le lisant,
mais cela n'a pas duré longtemps. Mme Stricker a
ouvert sa porte deux secondes plus tard et nous a
commandé d'entrer.

— L'un d'entre vous aurait-il l'obligeance de
m'expliquer cette petite farce ? a-t-elle exigé.
Jeanne ?

— Ce n'était pas une farce, Mme Stricker, a
répondu aussitôt l'intéressée. Ce n'était rien du
tout. Je le jure. On faisait notre séance de tutorat
et...

— Du tutorat ? l'a interrompu la sous-directrice.
Dans les toilettes des garçons ?

— Ce n'est pas sa faute. C'est moi qui suis allé
m'enfermer aux toilettes.

Stricker m'a dévisagé comme si je m'étais
adressé à elle en chinois avant de reporter son
attention sur Jeanne, dans l'espoir, visiblement,
qu'elle joue les interprètes.

— L'important, a repris celle-ci, c'est qu'il n'y a
pas mort d'homme : il ne s'est rien passé. On n'a
pas enfreint le règlement, pas vraiment.

— Au contraire, tu as enfreint une règle majeure
à la seconde où tu as pénétré dans ces toilettes,

a rectifié Mme Stricker. J'ai bien peur que des heures de colle s'imposent.

— *Quoi ?* s'est exclamée Jeanne, ébahie.

— Allez ! me suis-je presque écrié. Ce n'est pas juste !

— Un ton en dessous, M. Khatchadorian. Ou vous risquez d'avoir une retenue, vous aussi.

Cela m'a pris une seconde pour capter. Avec Jeanne, on s'est regardés au même moment.

— Attendez. Vous donnez des heures de colle à Jeanne et pas à moi ?

— Rafe, je ne te crois pas le moins du monde innocent dans cette histoire, a expliqué Stricker après un haussement d'épaules. Seulement, *toi*, tu n'as pas enfreint le règlement : tu étais dans les toilettes des garçons. Normal quand on est un garçon. Désolée, Jeanne : je n'ai pas le choix.

À cet instant, la sonnerie de la première heure de cours de l'après-midi a retenti et Stricker s'est levée. La conversation était terminée. Elle nous a même accompagnés dans le couloir, histoire de s'assurer qu'on allait directement en cours.

Jeanne et moi, on s'est éloignés tels deux somnambules.

— Je suis vraiment désolé pour tout ça, lui ai-je assuré.

— Ce n'est pas ta faute.

— Quelque part, si. Si je n'étais pas allé aux toilettes au départ, rien de tout cela ne serait arrivé.

— C'est trop tard, de toute manière.

Pourtant, je n'en étais pas sûr.

Il y avait bien quelque chose…

Je me suis retourné pour vérifier que Stricker était toujours dans le couloir et j'ai agité les bras pour attirer son attention.

— Hé, Sergent Stricker !

— À quoi tu joues ? s'est inquiétée Jeanne.

J'ai fait la sourde oreille.

— Attrapez-moi ! l'ai-je provoquée en démarrant au quart de tour direction… les toilettes des filles les plus proches.

CHAPITRE 62

FINI DE JOUER

Donc, je me suis fait coller par solidarité avec Jeanne mais devinez quoi ! Cela n'a rien changé.

En y réfléchissant, j'aurais pu hériter de cent heures de retenue, cela n'effacerait jamais celle de Jeanne. Et tout ça à cause de moi.

Bilan des courses ? Je n'avais pas respecté ma règle « Pas de blessé », mais alors pas du tout. Et je n'avais pas besoin de Leo pour me rappeler ce que ça signifiait : je venais de perdre ma dernière vie dans l'Opération R.A.F.E. La partie était finie. Question mission, j'étais officiellement décédé.

Autrement dit, non seulement je m'étais planté au collège et j'avais fait de la peine à la seule personne qui avait été gentille avec moi, mais je m'étais aussi méchamment ramassé... *à mon propre jeu.*

CHAPiTRE 63

REBONDISSEMENT

Sauf que… vous n'êtes pas stupides. Vous voyez bien qu'il reste des pages à ce livre. C'est comme au cinéma, quand le héros tombe d'une falaise pour que vous croyiez qu'il est mort tout en sachant que le film ne peut pas déjà se terminer. L'histoire va rebondir.

Et en effet, il y a eu rebondissement, mais je laisse ma place à Leo pour vous en faire le récit.

CHAPiTRe 64

« TU (NE) VANDALISERAS (POINT) »

Le lendemain matin, j'ai laissé un mot à maman disant que je devais partir à l'école super tôt pour travailler sur un devoir. Jusqu'ici, je n'avais pas menti. J'avais juste omis de mentionner que « super tôt » signifiait quatre heures du matin et que le « devoir » en question était sévèrement puni par la loi.

— Tu ne le regretteras pas, m'a garanti Leo, plusieurs fois.

De son point de vue, la raison d'être de l'Opération R.A.F.E. consistait à enfreindre les règles, donc pourquoi laisser un petit détail aussi insignifiant que ma défaite au jeu me dissuader d'accomplir la chose que j'attendais avec impatience depuis le début.

C'est ce que je disais : Leo est un génie.

En arrivant au collège, j'ai contourné le
bâtiment et laissé mon vélo près du gymnase.
Il y a un grand pan de mur nu à cet endroit ; on
joue à la balle contre la façade quand M. Lattimore
n'est pas d'humeur à nous torturer lui-même.
Avant, je n'aurais pas vu autre chose qu'un mur
ici. À présent, toutefois, je l'appréhendais comme
une toile géante.

J'ai sorti mon nouveau marqueur à grosse
pointe, une vieille lampe de poche et un échantillon
de mes derniers croquis. Je les avais réalisés sur
du papier millimétré, ce qui se rapproche le plus
d'un mur de briques, histoire d'avoir une idée des
proportions que je devais respecter.

Seulement, Leo s'impatientait.

— Tu n'en as plus besoin. Le temps presse, m'a-
t-il lancé. Tu réfléchis trop. Il faut commencer.

Je l'ai écouté. Après voir calé la lampe sur un
gros caillou, son faisceau dirigé droit sur le mur,
je me suis mis au travail, mon marqueur en main.

J'ai démarré lentement car je n'étais pas certain
de ce que je voulais dessiner en premier ni dans
quel ordre procéder. Pourtant, plus ça allait, plus

je suis rentré dedans et à un moment, la pointe de mon marqueur s'est mise à glisser sur la paroi ; tout est devenu super naturel.

— Voilà, m'a dit Leo. Force un peu les traits par là. Plus grand ici. Essaie plutôt comme ça. Non ! Plus grand ! Encore plus grand.

Dans sa bouche, ça revenait tout le temps. Au bout d'un temps, je courais d'une extrémité à l'autre, retouchant un côté du graffiti, puis celui à l'opposé, debout, au besoin, sur une vieille poubelle pour pouvoir dessiner en haut. Le truc prenait des proportions telles que j'avais l'impression d'en faire partie, même si je continuais à dessiner. C'était comme Leo avait dit : je ne pensais plus. J'agissais, le marqueur devenu un prolongement de ma main d'où jaillissaient directement les traits et les formes. Quelle sensation extraordinaire !

J'ai perdu la notion du temps. Tout à coup, le soleil s'est levé et j'ai peaufiné mon dessin à deux ou trois endroits. Mon bras me faisait tellement mal… À croire qu'il allait tomber ! Mon cerveau, par contre, était en ébullition. J'avais l'impression que plus jamais de la vie je ne pourrais dormir.

D'ailleurs, j'étais tellement dans le trip que je

n'ai même pas entendu la voiture de police arriver.

Elle est apparue à l'angle du bâtiment, son gyrophare s'allumant instantanément. Tout à coup, elle s'est immobilisée. Les portes se sont ouvertes de chaque côté et deux policiers en sont sortis.

Je me suis figé sur place, ne sachant pas si je devais lâcher mon marqueur ou non, mettre les mains en l'air ou un truc dans le style.

Les hommes, bizarrement, ne me regardaient même pas. Debout, ils avaient les yeux rivés à mon graffiti.

— Nom d'une pipe, le môme, s'est exclamé l'un d'eux. C'est toi qui as fait ça ?

CHAPiTRe 65

DEUX MINUTES PLUS TARD...

TEMPS MORT (DEUXIÈME !)

Vous avez remarqué quelque chose en particulier ? Il n'y a que Leo et moi à l'arrière de cette voiture de police.

Au tout début de ce livre, je vous ai montré un dessin avec Leo, Georgia et moi dans une voiture de patrouille de Hills Village et je vous ai dit que j'y reviendrais.

Non, je ne vous prends pas pour des imbéciles et je vous assure que ce passage ne va pas tarder. Encore un peu de patience.

En résumé, le graffiti, mon arrestation et tout n'étaient que le début de la pire et de la meilleure journée de ma vie. L'histoire est loin d'être finie.

Restez avec moi.

ASSIGNATION À RÉSIDENCE

Tant qu'on y est, voici un petit questionnaire pour voir si vous suivez :

D'après vous, comment a réagi l'Ours en me voyant rentrer escorté par deux policiers dès l'aube, ce matin-là ?

1. Il a soudoyé les flics pour qu'ils s'en aillent et fait comme si de rien n'était.

2. Il m'a emmené prendre le petit-déjeuner dans un super resto.

3. Il a pété un câble et s'est mis à me pourchasser dans toute la maison avant que je m'enferme dans la salle de bains et que maman lui demande de se calmer sinon elle rappelait les flics.

Réponse : Je dirais seulement : encore heureux, je cours vite !

J'ai gardé mes distances vis-à-vis de l'Ours
après ça. Ça n'a pas été bien difficile sachant que
maman m'a consigné dans ma chambre « jusqu'à
nouvel ordre ». J'avais un peu l'impression d'être
en retenue, mais à la maison. J'ai passé des heures
allongé sur mon lit à rêver que j'étais ailleurs.

Ou carrément quelqu'un d'autre. Un garçon qui ne
passe pas son temps à décevoir sa mère par exemple.

— Il faut voir le bon côté des choses, m'a
recommandé Leo. C'est un chef-d'œuvre, ce graffiti.
Les gens ne risquent pas de t'oublier.

— Ouais. Y compris M. Dwight et Mme Stricker.
Ils vont probablement m'expulser du collège pour
de bon.

Un jour plus tôt, j'aurais peut-être pensé que
c'était pour le mieux mais aujourd'hui, je ne
voulais plus éprouver cette sensation que, quoi
que je fasse, de bon ou de mauvais, et en dépit de
tous mes efforts, cela ne servait à rien. Les choses,
jamais, ne changeaient. Et si Mme Stricker avait
raison ? Si j'étais condamné à finir mes jours en
prison – le stade ultime de la retenue ?

Vers l'heure du déjeuner, maman est venue dans
ma chambre pour me parler.

— Je suis passée au collège, a-t-elle expliqué, et je me suis engagée auprès de M. Dwight à ce que tu ailles repeindre le mur ce week-end. C'est dommage, franchement. Sur n'importe quel autre support, j'aurais été fière de toi.

— Ils vont me renvoyer ?

Maman a poussé un soupir. Elle semblait très triste. Tout ça à cause de moi. Comme d'habitude.

— Je ne sais pas. Nous avons prévu de nous réunir demain à l'école, à la première heure. En attendant, tu restes ici.

Quand elle s'est dirigée vers la porte, je lui ai assuré que j'étais vraiment désolé mais tout ce qu'elle a répondu, c'était :

— Je sais, Rafe.

Elle a refermé la porte derrière elle.

La seule autre personne que j'ai vue cet après-midi-là, c'était Georgia. Elle m'a apporté une crème au chocolat en rentrant de l'école, mais d'après moi, c'était uniquement pour me tirer les vers du nez.

Je ne lui ai pas crié dessus ; en revanche, je lui ai demandé de sortir et de ne pas revenir. J'avais besoin de réfléchir.

Le reste de la journée s'est déroulé sans surprise. Pas le moindre rebondissement jusqu'à la tombée de la nuit. J'entendais la télé au salon et j'ai reconnu une odeur d'oignons cuits émanant de la cuisine. C'est à ce moment-là qu'on a sonné à la porte et que tout a dégénéré, passant de très très mauvais...

... à pire que jamais.

LE PIRE DE TOUT

J'ai passé ma tête par la porte pour espionner.

— J'y vais ! a dit maman.

La porte d'entrée s'est ouverte et puis après, plus rien.

— Bizarre, a commenté maman. Il n'y a personne… Oh, attends. Qu'est-ce que c'est ?

À son grognement caractéristique, j'ai su que l'Ours s'extirpait du canapé.

— C'est quoi ? a-t-il interrogé ma mère une seconde plus tard.

Je devinais qu'ils étaient sortis sur le porche à présent.

— Je n'en sais rien.

La voix de maman était lointaine, comme si elle pensait à autre chose. Le frou-frou de feuilles de papier est parvenu jusqu'à moi.

— Tu ne sais pas ? (L'Ours était aussi ronchon que d'habitude.) Eh bien regarde ! Je te le dis, moi : ce gosse est de la graine de délinquant, ni plus ni moins.

— Je ne te permets pas de parler de lui de cette manière. Et baisse le volume, s'il te plaît.

— Tu te fous de moi ? a rétorqué l'Ours. Écoute-moi bien, si tu comptes rester assise sans bouger, alors c'est moi qui m'en chargerai. D'ailleurs, je vais m'occuper de lui tout de suite.

— Oh que non. Pas de cette façon.

La porte d'entrée a claqué et ils ont poursuivi leur dispute dehors. Je ne distinguais plus leurs paroles, mais ils parlaient de moi, de toute évidence. Mon cœur s'est mis à tambouriner dans ma poitrine.

Ensuite, j'ai entendu l'Ours rugir :

— Je t'interdis de me dire quoi faire !

Alors, maman a poussé un cri et puis tout est devenu silencieux… ce qui ne présageait rien de bon. Je me suis précipité dans le couloir, manquant de justesse de foncer dans Georgia qui courait en sens inverse, visiblement effrayée et en pleurs.

— Rafe ! Il faut donner un coup de main à maman ! Vite !

LE FAMEUX TRAJET
AVEC LA POLICE

En voyant que maman était tombée dans les marches de l'entrée, j'ai dit à Georgia d'appeler une ambulance.

— Mais…

— Dépêche ! lui ai-je commandé avant de refermer la porte derrière elle.

L'Ours, près de maman, essayait de l'aider à se relever, mais elle ne voulait pas.

— Laisse-moi tranquille ! lui a-t-elle dit.

— Julia, je suis désolé. C'est un accident. Un accident…

— Je sais. Et je m'en fiche. Je te demande juste de ne pas t'approcher, Carl !

À cet instant, j'ai remarqué la grande enveloppe qui portait l'inscription « Mme K. » et toutes les

feuilles éparpillées sur le porche. Ce n'étaient pas
n'importe quelles feuilles. J'ai reconnu l'écriture
et les dessins. C'étaient des photocopies de mon
cahier Opération R.A.F.E. – notamment, à ce que je
voyais, un exemplaire de toutes les pages que j'avais
rachetées une par une à Miller.

Mais pour l'instant, j'avais des choses plus
importantes à gérer.

J'ai sauté du perron et poussé l'Ours de toutes mes
forces.

— Fous le camp ! ai-je crié.

La mâchoire béante, le regard vide, on aurait dit
qu'il n'était pas vraiment là. Je ne l'avais jamais
vu comme ça. Il a reculé sans riposter, debout
dans l'allée, sans partir pour autant mais sans se
rapprocher non plus.

— Ça va, m'a rassuré maman au moment où je
l'aidais à se redresser. Il m'a légèrement bousculée.
Il ne voulait pas me faire mal.

N'empêche, je n'ai pas bougé d'un pouce jusqu'à
l'arrivée des secours – deux voitures de police et une
ambulance. Ils ont mis l'Ours à l'arrière d'une voiture
tandis qu'un autre officier nous posait des questions,
à Georgia et moi, à propos de ce qu'on avait vu.

Les ambulanciers, pendant ce temps, examinaient le poignet de maman. Georgia n'arrivait pas à arrêter de pleurer ; je lui ai tenu la main tout du long, ce qui, je vous ferais remarquer, est un truc extraordinaire dans l'histoire de notre relation. Toute la scène, en elle-même, était surréaliste. Complètement dingue !

— Ça va, ça va, répétait maman.

Ils ont néanmoins insisté pour lui faire une radio à l'hôpital, alors elle est montée dans l'ambulance sous notre regard, à ma sœur et moi. On n'avait pas le droit de l'accompagner mais le policier s'est proposé de nous conduire là-bas.

— Je vous retrouve sur place, a promis maman.

— On va vous suivre, lui a assuré l'officier.

— Moi aussi, je suis là, a murmuré Leo – un miracle chez lui, sachant qu'il ne parle jamais quand il y a du monde autour.

Ça m'a touché.

Au fait, des fois que vous vous posiez encore la question :

❤MAMAN❤

Maman n'avait rien de grave. À l'hôpital, ils lui ont bandé le poignet puis ils ont appelé un taxi pour qu'on puisse rentrer à la maison. Sur la banquette arrière, elle a fait tout le trajet un bras autour de Georgia et l'autre autour de moi, en dépit de sa blessure et tout.

En arrivant chez nous, j'ai aussitôt remarqué que quelqu'un avait ramassé l'intégralité des feuilles pour les ranger dans l'enveloppe, posée sur le porche. Ça ne me plaisait pas mais maman, heureusement, n'a formulé aucun commentaire. Elle s'est contentée de prendre l'enveloppe en passant, et je ne l'ai plus jamais revue après ça.

Sur le répondeur, il y avait deux messages de l'Ours ; il s'excusait et il remerciait maman de n'avoir pas porté plainte. Il expliquait aussi qu'il allait loger chez un copain pour le moment.

— Julia, appelle-moi, a-t-il réclamé. Je te donne le numéro : cinq cent vingt-quatre…

Maman n'a pas attendu la fin du message pour l'effacer. J'ai dû me retenir de ne pas pousser un cri de joie.

— Venez vous asseoir ; je voudrais qu'on parle, a annoncé maman.

Tous les trois, on a pris place à la table de la cuisine, avec sa chaise vide à la place habituelle de l'Ours.

— Certaines choses vont changer à partir de maintenant. Carl ne vivra plus avec nous et, avec un peu de chance, je ne devrai plus assurer deux services par jour au restaurant.

Là, on n'a pas pu s'empêcher de crier « hourra ». Cela faisait longtemps que je n'avais pas entendu une aussi bonne nouvelle.

Bien sûr, l'euphorie n'a pas duré longtemps.

— Quant à toi, Rafe, nous avons encore beaucoup de choses à régler.

— Je sais. À propos, maman ? Je suis vraiment désolé.

J'avais l'impression de passer mon temps à

répéter cette phrase, ces derniers jours. Elle revenait beaucoup trop d'ailleurs. Maman a tendu le bras pour poser une main sur mon épaule et en voyant son bandage, je me suis senti encore plus mal.

— Ce qui est arrivé ce soir… Tout ça, c'est ma faute. Je… C'est…

Je n'ai même pas senti les larmes monter ; elles ont coulé de leur propre gré, jaillissant brusquement de mes yeux pour inonder mon visage froissé dans une grimace alors que je pleurnichais comme un bébé. Le plus étrange, c'est que je n'avais même pas honte. Même si Georgia me dévisageait, bouche bée.

— Ce n'était pas ta faute, a rectifié maman. Pas le moins du monde.

— Parfois, tu dois franchement regretter de ne pas avoir un enfant normal, ai-je dit en m'essuyant le nez avec la serviette en papier qu'elle m'avait donnée.

— Moi, je suis normale ! s'est exclamée Georgia.

— Ce n'est pas du tout comme ça que je vois les choses. Il est vrai que tu as commis des erreurs à répétition. Seulement, moi aussi, j'en ai commis, non ?

Je savais qu'elle voulait parler de l'Ours mais je n'ai pas relevé.

— Quoi qu'il en soit, « demain est un autre jour »,
d'accord ? (Maman s'est penchée vers moi pour me
susurrer à l'oreille :) En outre, j'ai tendance à trouver
que si c'est normal, c'est barbant, pas toi ?

— Hé ! Arrêtez vos messes basses ! a râlé ma
sœur.

— C'est la devise de Leo, ai-je murmuré en retour.

Maman a esquissé un sourire, moitié triste, moitié
content.

— Il tient cela d'où, d'après toi ?

— D'où de qui ? Qui tient quoi ? De quoi vous
parlez ? a insisté Georgia.

Et même si Leo n'était pas là *pour de vrai* à me
féliciter, un pouce levé, de l'autre côté de la table, c'est
exactement ce qu'il a fait.

CHAPiTRe 71

ÇA DEVAIT ARRIVER...

Lorsque maman m'a emmené au collège le lendemain matin, tout le monde – je dis bien tout le monde – me scrutait. J'en déduisis qu'ils avaient tous vu mon graffiti. Tant mieux, ai-je pensé, sachant qu'après le week-end il aurait disparu. Un grand nombre d'élèves chuchotaient, me montrant du doigt pour certains. Il y a même un type qui a pris une photo, mais personne ne m'a adressé la parole.

À une exception près.

Miller, adossé contre la vitrine avec les trophées des équipes sportives, ne m'a pas manqué quand je suis entré dans le bâtiment. Il arborait son éternel sourire de satisfaction stupide ; il me rappelait un bébé géant qui aurait tout juste fait caca dans sa couche.

— Hé, Khatchadorian ! a-t-il crié. Tu as reçu ma lettre ?

Vous n'allez peut-être pas me croire mais j'avais presque oublié cette histoire de mystérieuse enveloppe, ayant passé la soirée entière à me flageller pour ce qui était arrivé. Pas un instant, je n'avais réfléchi à la manière dont tout cela avait commencé : le coup de sonnette… avant la dispute de maman et l'Ours…

… et Georgia en pleurs, inconsolable…

… et maman, aux urgences de l'hôpital.

J'ai laissé maman sur place pour fondre sur Miller, comme la dernière fois, sauf que là, on était face à face. Je n'ai pas décéléré. Pas avant que mon poing percute violemment son ventre.

Vous auriez dû voir l'expression de surprise sur le visage de Miller ! N'empêche, il a tout de même eu le réflexe de riposter d'un coup dans mon nez. J'ai senti le sang gicler quasi instantanément. Mes jambes se sont dérobées sous moi mais je me suis accroché à Miller et je l'ai attiré avec moi dans ma chute. Par terre, on s'est transformés en boule humaine, ne manquant pas une occasion de frapper. Il ne m'a pas raté : en plein dans le ventre. Je l'ai eu au niveau de la paupière, si on veut…

Puis M. Dwight est intervenu pour tenter de nous séparer, maman s'y mettant elle aussi pour me détacher de Miller. Tous les deux, on continuait à hurler. J'ai oublié ce que je disais mais de toute manière, je doute que j'aurais pu le répéter dans ce livre. Ma chemise était déchirée sur le devant. J'avais la nausée et le sang continuait à dégouliner de mon nez.

D'un autre côté, j'étais toujours en vie. J'aurais encore plus d'ennuis à partir de maintenant – à supposer que ce soit possible – mais je venais de survivre à Miller le Tueur, un peu comme j'avais survécu à la sixième… J'en ressortais avec quelques bosses (bon d'accord, *beaucoup* de bosses) et pas franchement en vainqueur, mais toujours debout. C'était plus que n'importe qui dans cette école devait en attendre de ma part. Y compris moi-même.

Du coup, je considère que c'est beaucoup.

LE JUGEMENT DERNIER

— **E**h bien, si ce n'était pas déjà réglé, voilà qui est fait, a déclaré M. Dwight. Rafe, tu es expulsé du collège jusqu'à la fin de l'année.

Cela ne m'a pas beaucoup étonné mais je n'ai quand même pas pu m'empêcher de jeter un œil à maman. Elle devait avoir envie de finir ce qu'avait commencé Miller et m'étrangler sur-le-champ.

Nous étions tous assis dans le bureau du directeur, Mme Stricker comprise. J'avais un sac de glaçons sur le nez et une épingle de nourrice pour fermer ma chemise. Je me sentais engourdi, de bien des façons.

— Rafe pourra continuer ses devoirs à la maison, a expliqué M. Dwight à maman. Naturellement, vous pourrez également le réinscrire en sixième cet automne.

Ça allait de mal… en pis.

L'interphone sur le bureau a soudain sonné. Le directeur a décroché.

— Oui ? Dites-lui que nous sommes en réunion avec une parente d'élève.

Pourtant, une seconde plus tard, la porte s'est ouverte sur Mlle Donatello.

— Je serai brève, nous a-t-elle avertis. Je suis consciente que cet entretien est privé, seulement, avec votre autorisation, j'aimerais faire une suggestion au nom de Rafe.

Tout le monde dévisageait maman à présent. Moi aussi.

— Allez-y, je vous en prie, a-t-elle acquiescé alors que Mlle Donatello entrait.

— Je comptais mentionner cela plus tard dans l'année mais il semble que le moment soit venu, s'est-elle justifiée.

Elle a posé une brochure sur le bureau de M. Dwight, bien en vue de tout le monde.

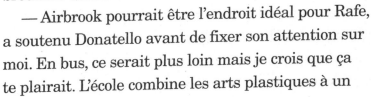

Dwight et Stricker n'ont formulé aucun commentaire tandis que maman a pris la brochure en main.

— Airbrook pourrait être l'endroit idéal pour Rafe, a soutenu Donatello avant de fixer son attention sur moi. En bus, ce serait plus loin mais je crois que ça te plairait. L'école combine les arts plastiques à un cursus classique pour les élèves dont les méthodes d'apprentissage diffèrent des autres.

— C'est une école pour les attardés ?

— Pas du tout. C'est un collège pour artistes, a rectifié Donatello.

Là, ça commençait à m'intéresser.

— Excusez-moi, est intervenue Mme Stricker. Rafe vient de se faire exclure du collège et vous suggérez qu'il doit être récompensé pour son comportement ?

— Absolument pas, a répondu Donatello. Ce que je dis, c'est que Rafe a du talent. J'ai pu le constater tout au long de l'année.

C'était une première. Je ne me souviens pas que quelqu'un ait jamais employé les mots *Rafe* et *talent* dans une seule et même phrase auparavant.

— Et ses notes ? a soulevé maman.

Par-dessus son épaule, je pouvais voir le dépliant ; il y avait des photos d'élèves, debout devant des chevalets ou travaillant à des sculptures ainsi que d'autres trucs que je ne connaissais même pas.

— Évidemment, nous devrions travailler un peu sur les matières générales, a admis Donatello mais n'oublions pas qu'Airbrook, encore une fois, est destiné à des élèves de tous les niveaux. Si le portfolio de Rafe est jugé prometteur, nous serons peut-être même en mesure de lui décrocher une bourse sur la base de ses besoins.

— Un portfolio ? ai-je répété.

— Un échantillon de tes dessins, m'a éclairé Donatello. Afin qu'ils évaluent ton potentiel.

J'étais surexcité. À cet instant, la situation semblait

… meilleure que jamais.

Enfin… jusqu'à ce que maman ouvre son sac, plonge la main dedans et en ressorte l'enveloppe que Miller avait apportée la veille.

— Je n'étais pas certaine de vouloir évoquer ceci, mais j'ai changé d'avis, a dit maman.

Alors, j'ai su que tout était fini pour moi.

CHAPITRE 73

MAMAN LE MOULIN À PAROLES

Une minute plus tard, les feuilles de mon cahier étaient étalées sur le bureau de M. Dwight. Tout y était : les détails de l'Opération R.A.F.E., l'ensemble des règles du collège que j'avais enfreintes ainsi que l'intégralité des dessins débiles que Leo et moi avions faits tout du long. Le monde entier se rendait désormais compte à quel point j'étais un délinquant juvénile. Je gardais les yeux rivés au sol.

— Eh bien, cela explique deux ou trois choses, a raillé Mme Stricker et aussitôt, j'ai senti cette école d'arts plastiques me filer entre les doigts.

— En réalité, ce n'est pas là que je voulais en venir, a répliqué maman.

J'ai relevé la tête.

— Oui, est intervenue Donatello, je vois où vous voulez en venir. Ce sont les prémices d'un portfolio.

Rafe, ces dessins, pour certains, te représentent
tellement bien.

Pardon ?

Je n'étais pas certain de savoir ce que Donatello
voulait signifier au juste mais cela sonnait comme
quelque chose de positif.

— Mme Khatchadorian, a repris M. Dwight,
vous êtes naturellement libre d'inscrire Rafe dans
l'établissement de votre choix mais il est important
qu'il mesure la gravité de ses actes ici, dans notre
collège.

— Je suis on ne peut plus d'accord, a approuvé
maman. Et vous pouvez me croire : j'ai prévu des
sanctions.

Je supportais de moins en moins cette
conversation. Un pas en avant, deux en arrière.
Où allait-elle se terminer ?

— Mais vous voyez, j'ai toujours su que Rafe était
un artiste dans l'âme, a raconté maman. Il a ça dans
le sang. D'ailleurs, il doit son nom au grand Rafaelloa
Sanzio, dit Raphaël. Mes enfants ont tous les deux
des prénoms inspirés de mes artistes préférés. La
sœur de Rafe s'appelle Georgia à cause de Georgia
O'Keeffe.

— C'est bien choisi, a jugé Donatello.

— Et, a ajouté maman, Rafe avait également un frère jumeau.

J'aurais tout donné pour qu'elle se taise. Là, tout de suite, maintenant. Naturellement, elle a continué.

— Il s'appelait Leonardo.

— Pour Leonardo da Vinci ? a deviné Donatello.

— C'est exact. Malheureusement, Leo est décédé très jeune. Il a eu une méningite lorsque les garçons n'avaient que trois ans et n'a pas survécu.

Donatello a posé une main sur l'épaule de maman ; M. Dwight et Mme Stricker sont restés sans voix, gênés.

— C'était il y a longtemps, a poursuivi maman qui m'examinait à présent. Reste que Leo est toujours en pensées avec nous. N'est-ce pas, Rafe ?

J'ai simplement remué la tête.

Bon, je suppose que je vous dois une explication.

UNE EXPLICATION

Vous devez penser : « UNE SECONDE ! »
Tous ces chapitres, ces pages, et il se décide
seulement à nous avouer que ce Leo était en réalité
son frère ?

Je ne vais pas tourner autour du pot. La réponse
est oui. Et non, je ne suis pas fou. Je vais bien. Je
vous assure. Je n'aurais peut-être pas dû mentionner
Leo du tout, mais j'ai songé que si vous m'aviez
supporté jusqu'ici, vous méritiez de connaître la
vérité.

Je n'ai pas beaucoup de souvenirs de l'époque où
Leo vivait encore. Il avait les cheveux plus clairs
que moi et il était – il faut dire ce qui est – plutôt
rondouillet. Sur toutes les vieilles photos, on dirait
qu'il fait le double de moi. N'empêche, on n'était pas
bien grands ni l'un ni l'autre quand il est mort. Par

contre, je me souviens que la maison est soudain devenue très calme et que ma grand-mère est venue habiter avec nous.

Puis, un peu plus tard, j'ai commencé à imaginer à quoi la vie ressemblerait si Leo vivait encore parmi nous. La suite, vous la connaissez.

Pour votre info, je ne dis pas que Leo sera toujours là. Je vais peut-être réussir à m'en passer en vieillissant. À moins que je trouve un meilleur ami en chair et en os, qui sait ? Si cela arrivait, je suis pratiquement sûr que Leo ne serait pas fâché. Il sera toujours mon frère. Quoi qu'il arrive.

En attendant, j'aime les choses telles qu'elles sont. C'est peut-être pour ça que je suis quelqu'un de bizarre. Voire, cela explique mon côté artiste, comme dit maman, mais moi, ça me va…

Enfin… à l'exception des ennuis dans lesquels je me suis fourré et du fait que je sois sur le point d'être expulsé. Je sais, je sais… Je n'ai pas dit mon dernier mot. Lisez la suite et vous verrez.

LE COUP DU SIÈCLE

Maman ayant raconté à M. Dwight et Mme Stricker tout ce qu'il y avait à savoir, ils étaient tous assis à me fixer sans rien dire.

— Bref, a repris maman en montrant la brochure de l'école Airbrook, si je peux faire n'importe quoi pour contribuer à la réalisation de ce projet, je le ferai.

Elle a reposé le dépliant sur le bureau de M. Dwight, comme pour signifier : « La balle est dans votre camp maintenant. »

— Mme Khatchadorian, d'abord, laissez-moi vous exprimer à quel point je suis désolé d'apprendre ce qui est arrivé à votre famille, a commencé le directeur.

— Oui, nous le sommes tous les deux, a renchéri Mme Stricker.

Et à en juger par sa tête, c'était sincère.

— Merci, a répondu maman. Mais en ce qui concerne Rafe…

— Je peux vous suggérer quelque chose ? est intervenue Donatello.

Tous les regards se sont tournés vers elle. Jusqu'ici, elle avait toujours été de mon côté et je voulais absolument entendre ce qu'elle avait à dire.

— Ne changeons rien à la sanction de Rafe, qu'il passe les derniers mois en dehors du collège, mais après, laissons-le s'inscrire à un programme complet de cours d'été.

Et voilà… Le coup du siècle. Dans ma tronche ! Des cours d'été !

Je le savais ! C'était trop beau pour être vrai.

— Je peux aider Rafe, a offert Donatello. Dans les matières générales comme pour son portfolio et on verra ce que ça donne.

— Rafe, m'a interpellé M. Dwight. Que penses-tu de tout ça ?

Soudain, plus personne ne parlait. C'était le moment ou jamais de dire quelque chose d'intelligent : ils me dévisageaient tous.

— Je n'ai pas envie de suivre des cours cet été.

— Pardon ? s'est exclamée maman.

Mme Stricker a esquissé un petit sourire.

Donatello, elle, avait l'air d'avoir reçu une balle en plein cœur.

— Mais je le ferai quand même… si vous êtes d'accord, ai-je ajouté à l'intention de M. Dwight.

Mme Stricker et lui échangeaient des regards. Je n'étais pas certain de les avoir convaincus quand j'ai subitement eu une autre idée.

— Et si je peignais un trompe-l'œil ? Un truc joli, avec de la peinture et tout, pour le collège. En guise… d'excuse.

— C'est tout à fait le genre de projet qu'on pourrait intégrer à ton portfolio. (Donatello a lancé un coup d'œil à Dwight et Stricker.) Enfin, si personne n'y voit d'inconvénient.

Au début, tout le monde est resté silencieux, puis,

pour finir, Mme Stricker a simplement haussé les épaules et c'est M. Dwight qui a pris la parole.

— Il doit s'agir d'un projet qui convienne à notre établissement. Nous exigerons de voir les dessins avant le premier coup de pinceau.

— Aucun problème, ai-je acquiescé.

— Et tout cela devra attendre l'été, a précisé le directeur.

— Et même alors, a spécifié Stricker : si nous remarquons le moindre écart de comportement…

— Il n'y en aura pas. (Maman m'a serré la main.) N'est-ce pas, Rafe ?

— Non, ai-je promis avec mon sourire le plus vrai.

En vérité, j'ignorais complètement si j'allais réussir. Qu'il s'agisse du trompe-l'œil, des cours ou de mon « comportement ». Seulement, cela valait le coup d'essayer si cela pouvait signifier que je quittais Hills Village pour Artbrook – une école d'arts plastiques ! – à la rentrée. Et même, peut-être, que j'entrais directement en cinquième.

En plus, même sans ça, je devais bien à maman, et à Leo Sans Paroles et Donatello la Femme Dragon, sans oublier – surtout pas – à Jeanne Galletta, d'essayer ce plan complètement cinglé.

LA SUITE
DES ÉVÉNEMENTS

E t nous voici donc plus ou moins de retour au présent. Je n'ai toujours pas le droit de mettre le pied au collège et l'année n'est pas terminée. Croyez-moi si je vous dis que ce n'est pas plus drôle d'être à la maison tout le temps que d'aller à l'école. Maman a veillé là-dessus.

Mais d'abord, laissez-moi vous raconter les bonnes nouvelles.

Environ une semaine après toute cette histoire, l'Ours est passé chercher ses affaires à la maison pendant que maman était au travail. Il a officiellement déménagé, ça y est. Et il a même oublié son stock secret de Zoom que j'ai transféré dans une nouvelle cachette que je ne vous dévoilerai pas. Na !

Depuis, maman ne travaille plus que le matin
et le midi au restaurant, alors elle est tous les soirs
à la maison. Maintenant, c'est elle qui prépare tous
les dîners et elle est bien meilleure cuisinière que
Georgia, l'Ours et moi rassemblés.

Après mon expulsion, Jeanne Galletta est même
venue chez moi pour voir si j'allais bien. Je lui ai
répondu que oui mais que je n'irais peut-être plus
à Hills Village à la rentrée. Ensuite, elle a dit qu'on
pourrait peut-être aller au ciné cet été et qu'elle
m'invitait. Je lui ai répondu que j'allais y réfléchir.
(D'accord, j'avoue qu'il y a une part de fantasme
là-dedans mais on a le droit de rêver, non ?)

Bon, pour ce qui est des mauvaises nouvelles
maintenant.

Maman ne veut pas que je reste seul à la maison
toute la journée donc depuis un mois et demi, la
semaine, je viens ici, chez *Swifty's*. Il nous a permis
d'installer une petite table pliante en guise de
bureau dans la réserve et je m'assois sur mon bac
géant de cornichons pour faire mes devoirs (un
comble étant donné que je suis exclu du collège –
c'est à ma mère qu'il faut le dire !).

Je passe aussi une heure par jour à faire la

vaisselle, balayer ou nettoyer les tables. Swifty appelle ça mon gîte et mon couvert – ça me permet de déjeuner tous les midis sur place (l'équivalent d'un repas à huit dollars maximum). C'est honnête comme deal.

Au début, je ne pensais pas que je survivrais. Malgré mes devoirs et le nettoyage, il y avait encore beaucoup trop de temps mort, passé à me tourner les pouces, les yeux rivés au mur, en attendant les cours d'été (beurk !). Je ne me suis jamais autant ennuyé de toute ma vie.

Mais j'ai fini par avoir une idée. Une idée de grande envergure, dans la lignée de l'Opération R.A.F.E. Si ce n'est que cette fois, ce n'était pas un jeu. C'était plutôt une mission spéciale pour m'aider à tuer le temps.

Et devinez quoi ?

Vous l'avez entre les mains en ce moment.